KB196579

토마스 찾아 삼만리

토마스 찾아 삼만리

· 초판 1쇄 발행 2013년 12월 19일
· 초판 2쇄 발행 2014년 6월 10일

· 지은이 고무송
· 펴낸이 민상기 · 편집장 이숙희 · 펴낸곳 도서출판 드림북
· 등록번호 제 65 호 · 등록일자 2002. 11. 25.
· 경기도 의정부시 가능1동 639-2(1층) · Tel (031)829-7722, Fax(031)829-7723

· 책번호 65
· 잘못된 책은 교환해 드립니다.
· 이 출판물은 저작권법에 의해 보호를 받는 저작물이므로 무단 복제할 수 없습니다.
· 독자의 의견을 기다립니다.
· www.dreambook21.co.kr

토마스 찾아 삼만리

한국개신교 최초 순교자

토마스 연구 도큐멘터리

글/사진 고 무 송

드림북

〈추천사〉

김삼환 목사

(한국교회인물연구소 이사장 / 명성교회 담임목사)

제가 고무송목사님을 처음 만나게 된 것은 1993년 가을 어느날 런던에서였습니다. 그때 그분은 영국 버밍함대학교에서 선교신학 박사학위 논문을 집필중이었습니다. 저는 파리한인장로교회(이극범목사 시무) 집회인도차 프랑스를 방문중이었습니다. 프랑스는 위대한 종교개혁자 깔뱅의 고장 아니겠습니까? 종교개혁에 얽힌 유적지를 돌아보다가, 불현듯 우리에게 복음을 전해준 한국개신교 최초 순교자인 토마스 목사님 생각을 하게 됐고, 이목사님을 앞세워 영국으로 건너가 그분의 유적지를 찾아가게 됐던 것입니다.

런던에서 만난 고무송목사님은 MBC PD로 활동하다가 해직을 당하고 늦게 신학을 공부한 분이라 했습니다. 처음 만났지만, 그분이 연출한 라디오 드라마 '전설따라삼천리' 가 귀에 익어서였던지, 낯이 설지 않았습니다. 첫인상에 그분은 토마스에 푹빠진 분 같았습니다. 전세계에 묻혀 있는 토마스에 관한 자료들을 발굴하는 가운데, 특별히 그의 후손을 추적한 이야기는 '전설따라삼천리' 를 재현하는 느낌이었습니다. 그러니까, 천신만고 끝에 미국에서 발굴한 자료 속에 숨겨져 있던 후손의 주소를 발견, 무턱대고 그 주소에 편지를 보냈고, 지리한 기다림 끝에 마침내 후손을 추적하는 데 성공, 그분들이 가보(家寶)처럼 보존하고 있던 모든 자료를 제공 받았다는 이야기. 그것은 가히 '토마스 찾아3만리' 가 아닐 수 없었습니다. 고목사는 그렇게 발굴한 희귀한 자료를 바탕으로 논문을 집필하고 있었기에 얼마나 훌륭한 논문을 써낼 것인가, 자못 기대가 크지 않을 수 없었습니다. 그때 그분은 다시 자료 수집차 중국으로 리서치 여행을 떠난다고 했습니다. 토마스 목사가 활동했던 무대가 광활했기에, 그에 관한 리서치 또한 넓을 수 밖에 없었습니다. 그것은 한 사람이 감당할 수 있는 과업이 아니요, 어쩌면 한국교회가 함께 나서야 될 일이라고 여겨지는 것이었습니다. 이 책에는 그러저러한 이야기들이 빼곡히 담겨 있습니다.

빼놓을 수 없는 아름다운 기억 하나, 그것은 사모님께서 진정코 '상다리가 휘어지게' 점심을 차려주었던 일입니다. 런던에 떠돌고 있다는 전설도 들었습니다. 영국에 왔다가 고목사 댁에서 밥을 얻어먹지 않거나, 잠을 자지 않으면 '간첩' 이라 했고, 그 댁을 '천사의 집' (Angel House)이라 부른다고. 우리는 서둘러 고목사 안내를 받으며 토마스목사 기념교회를 찾아갔습니다. 런던으로부터 두어시간 족히 달려야 되는 남부 웨일즈라 했습니다. 풍광이 수려한 시골마을에 그 교회는 있었습니다. 아주 작지만 정갈한 교회, 강단 옆 벽면에 토마스목사님의 초상이 걸려있고, 대리석판에는 그를 추모하는 글이 적혀있었습니다.

토마스목사, 그의 나이 27세 때인 1866년, 선교사역을 위해
두번째 조선에 입국했으나 그땅 원주민들에게 죽임을 당하다.

(Whilst on his second visit to Corea on mission work,
Was put to death by the inhabitants, in the year 1866.)

두가지 큰 충격을 받았습니다. 하나는, 그때 그의 나이 27살이었다는 사실. 젊디 젊은 청춘이 어찌타 조선땅에 찾아와 순교의 제물이 되었던가. 또하나, 어찌타 우리네 조상들이 '원주민들' (the inhabitants)로 호칭되고 있었던 것일까. 그렇습니다. 우리가 야만(野蠻)이었습니다. 복음을 들고 찾아온 선교사를 무참하게 죽이다니요? 그로부터 한 세기가 조금 넘었습니다만, 그를 효시(嚆矢)로 이 땅은 순교의 피가 흥건히 적셔진 거룩한 땅이 됐고, 우린 복 받은 민족이 됐습니다. 토마스 목사는 한국교회가 영원히 잊을 수 없는 분이요, 고무송 목사는 그분의 진면목(眞面目)을 밝혀 세계교회 순교의 역사 속에 밝히 드러내 주셨습니다. 이제 한국교회는 토마스목사님의 순교정신을 이어 받아 새롭게 거듭나기를 간절히 기도 드립니다.

토마스목사 순교기념 하노버교회를 방문한
김삼환목사(가운데), 이극범목사(왼쪽)와 필자.

〈전문가 평가(Gutachten)〉

토마스연구의 순례자 고무송 박사

임희국 박사

(장로회신학대학교 교수 / 교회사)

이 책『토마스 찾아 삼만리』는 지은이 고무송 박사가 〈한국기독공보〉(대한예수교장로회 예장통합교단 주간신문)에 기고한 원고들을 한데 엮어서 발간한 단행본이다. 〈한국기독공보〉가 1996년 창간50주년을 기념하여 "한국 교회 여명기(黎明期)를 가다"라는 제목으로 기획특집을 만들었는데, 이 지면에 고박사가 토마스 목사(Rev. Robert Jermain Thomas, 1839-1866)에 관하여 그해 2월 17일부터 15회 연재했다.

고무송은 1995년 영국 버밍함대학교(The University of Birmingham)에서 '토마스의 생애와 선교사역'을 주제로 한 연구논문으로 선교신학 박사학위(PhD)를 받았다. 논문제목은 Western and Asian Portrayals of Robert Jermain Thomas (1839-1866), Pioneer Protestant Missionary to Korea. 이 학위논문에 기초하여 그의 기독공보 연재원고가 작성되었다. 학위논문을 작성하는 과정에서 지은이의 내면세계로부터 솟구친 연구열정이 생생하게 드러나는 글이었다. 더욱이 그의 연구는 "토마스의 숨결을 따라 그가 머물렀던 발자취를 더듬어 찾아가는 순례"로 진행되었기에, 현장연구에서 풍겨나는 생동감과 역동성이 연재원고를 통해 그대로 전해졌다.

이와 관련하여서, 토마스의 생애연구에 착수한 고무송은 자신의 인생 여정이야말로 이 연구를 향한 준비과정이었다고 회고한다.

그는 대학(서울사대)에서 역사학을 전공했고, 졸업 후 16년 동안 언론사와 방송국에서 기자(Journalist)와 프로듀서(PD)로 일하면서 역사적 인물과 사건의 실체를 밝혀내는 작업에 종사했고, 그리고 신학교(장로회신학대학교 신학대학원)에서 신학을 공부하여 신학자가 되었다. 그런데 이보다 훨씬 이전에, 어린 시절의 그는 부모의 밥상머리 교육을 통해 토마스에 관한 이야기를 들었다. 부모는 "복음전하고자 우리나라(조선)에 들어왔으나 대동강변에서 참수형(斬首刑)으로 장렬하게 순교한 토마스"의 이야기를 들려주었다. 이때부터 토마스 순교이야기는 그에게 신화(神話)로 남아 있었다. 또한 교회 주일학교의 동화시간에서도 선생님이 들려준 토마스의 생애최후는 영웅적 순교무용담이었다. 이를 통하여 어린 시절의 고무송에게 "토마스는 그리스도인의 표상(表象)으로 각인(刻印)되었다"고 하며, 한 걸음 더 나아가서 토마스를 더 알기 원하는 호기심으로 가슴이 부풀었다고 한다. 그러니까, 토마스는 고무송의 생애 가운데 사표(師表)요 멘토(Mentor)였다는 것이다.

고무송은 영국 버밍함대학교에 유학, 토마스연구에 들어가면서 기존의 연구 상황을 살펴보았다. 선교사 토마스에 관한 최초의 문서기록을 런던선교회(LMS: London Missionary Society)가 출판한 『런던선교회100년사』(History of LMS 1795-1895)에서 발견했다. 이 선교회가 토마스를 선교사로 파송했다. 이 책에는 "1866년, 토마스는 사역을 위해 임지인 수도(중국 북경)에 정착하려 하지 아니하고 조선 항해 중 익사한 것으로 추정된다." 기록되었다. 부정적인 내용을 담은 아주 짤막한 기록이었다. 또한 그리피스(William E. Griffis)는 『은자(隱者)의 나라 한국』(Corea, The Hermit Nation)에서 토마스의 조선선교에 대해 의혹의 눈길을 보냈다. 즉, "(제너럴셔먼호) 승무원들은 평화적인 통상을 위한 것으로 보기는 어려울 만큼 중무장을 하고 있었기 때문에 애당초 그들의 항해 성격은 의심스러운 것이었다. 여러 왕조의 왕들이 묻혀 있는 평양의 왕릉은 순금으로 되어 있다고 중국에는 소문이 나있던 터이니만큼 그들의 항해는 그 금을 어떻게 좀 얻어 보려는 속셈에서 나온 것이라는 사실을 가히 짐작할 수가 있다."고 서술했다.

고무송이 계속 살펴본 바로는, 한국에서 최초로 토마스에 관해서 관심을 갖게 된 사람은 그가 생애최후를 마친 평양에서 선교한 마포삼열(麻布三悅 Samuel Austin Moffett 1864-1939) 목사였다. 마포삼열 목사는 '토마스목사순교기념회'(TMA: Thomas Memorial Association)를 조직하고 토마스에 관한 자료를 수집했다. 그 다음, 총무 오문환(당시 숭의학교 영어교사)이 1928년 출판한 『도마스牧師傳』이 토마스의 일대기를 서술한 최초의 한글 단행본이었다. 이 책은 다분히 그 당시(1920년대) 한국 선교를 목적으로 서술되었으므로 토마스의 '의로운 죽음'에 초점이 맞추어져 있었다.

토마스에 관하여 학문적으로 연구한 최초의 한국 교회역사가는 백낙준이었다. 그는 『한국 개신교 역사』(The History of Protestant Missionary in Korea 1832-1910)에서 토마스를 언급했다. 그러나 그는 미국 측 자료에 의지하여 연구를 진행했는데, 그 결과 서술에 평형감각이 결핍되었다는 지적을 받았으며, 영국 웨일즈 출신인 토마스를 스코틀랜드 출신이라고 소개한 오류를 범했고, 또한 토마스가 스코틀랜드 에딘버러의 뉴칼리지를 졸업했다고 썼는데, 이것은 런던 뉴칼리지라고 기록했어야만 했다. 이렇게 백낙준의 연구에서는 상당히 편향된 관점과 함께 몇몇 오류가 발견되었다.

토마스에 관하여 보다 더 체계적인 연구를 민경배가 진행했다. 그는 1970년 런던대학교에서 연구하는 동안 토마스에 관한 자료 일부를 발굴했고, 그가 지은 책 『교회와 민족』에서 토마스 서술에 36쪽을 할애하고 있다.

토마스의 생애에 관하여 실체적 역사에 접근하고자 한 역사학자는 이만열이었다. 그는 『한국기독교회100년사』에서 토마스의 비참한 죽음을 애도하는 한 편, 그러나 그가 동승했던 제너럴셔먼호의 조선 입국 목적과 입국경위의 불법성 등 여러 가지 정황을 살펴볼 때 그의 죽음을 과연 '순교'로 볼 수 있겠는지 규명해 보아야 한다고 지적했다.

이제, 고무송은 토마스의 죽음과 조선선교에 관한 긍정적인 평가와 부정적인 평가를 정리하게 되었다. 먼저 긍정적인 평가로는, 토마스가 조선(한국) 최초의 개신교 "선교사요 순교자"인데, 그러나 그는 "동시

통역사(Interpreter)이자 항해안내자(Navigator)"로 이 땅에 왔으며, 동시에 그는 "런던선교회(LMS) 소속 선교사로서 중국주재 스코틀랜드 성서공회의 지원을 받아 한문성경을 갖고 한국에 복음을 전하러 왔었다." 이와 상반된 부정적인 평가로는, 토마스가 타고 온 제너럴셔먼호가 "무역선으로 위장한 중무장한 배"였고, "선원들은 왕릉의 금을 절취하려는 도굴단"이었으며, 이 배의 항해안내를 맡은 토마스는 그 무리에 속한 "제국주의 앞잡이"였다.

이렇게 토마스에 대한 역사적 평가는 "순교자"와 "영웅"으로 추앙되는 견해와 "해적선의 길잡이"요 "제국주의 앞잡이"로 기억되는 견해가 서로 엇갈려 있었다. 전자의 평가는 주로 한국 개신교(특히 장로교회)의 역사 속에서 전해 내려오는 신화적 표현이었다. 이 평가는 아마도 토마스가 생애 최후를 마친 평양의 교회에서 시작되었다고 보는데, 1925년 장로교회 평양노회가 작성한 『야소교장로파평양노회내교회사기』(耶蘇教長老派平壤老會內教會史記)에서도 그 총론에 다음과 같이 기록했다.

> "주후 1868(1866)년에 영국 선교사 토마스(Thomas)가 스코틀랜드 성서공회로부터 미국 풍선(風船)을 타고 평양에 들어 왔다가 평양 감사(監司)의 습격을 받아 대동강에서 순교하니 이것이 예수교 신교도의 피가 우리나라 강산에 처음 뿌려진 것이러라."

그런데 후자의 평가는 19세기 서양 기독교의 선교가 오히려 서양제국주의의 조선침탈에 앞장섰다는 비판이 녹아있다. 또한, 오늘의 평양 대동강 강변에는 지난 날 토마스가 탔던 배 제너럴 셔먼호의 격침 현장에 거대한 비석이 세워져 있는데, 그 비석에는 다음의 글귀가 새겨져 있다.

> "미 해적선 《샤만》호 격침 기념비. 열렬한 애국자이신 김응우 선생을 비롯한 평양인민들이 우리나라를 침략하였던 미 해적선 《샤만》호를 천팔백륙십륙년 구월 이일 대동강 한사정 여울에서 격침하였다. 천구백팔십륙년 구월 이일."

여기에 기록된 김응우는 김일성 주석의 증조부로 알려져 있다(『조선전사(朝鮮全史)』에서).

토마스에 관하여 서로 극단으로 어긋나는 평가들을 접한 고무송은 평양 대동강에서 생애 최후를 마친 토마스에 관한 실체적 진실에 접근하는데 커다란 노력을 기울였다. 그는 (옛 직업의 경험을 되살려) 영국, 중국, 미국 등지를 방문하였고 이 과정에서 온 세계에 흩어져 있는 자료파편들을 주워 모아 토마스의 실체적 진실을 꿰어 맞추어내고자 했다. 그는 학위논문 지도교수 우스토프 박사(Prof. Dr. Werner Ustorf)의 조언에 힘입어 토마스에 관한 일차 사료와 문서자료를 수집했고, 또 관련된 사람들(토마스에 관한 자료 소장자)을 만나서 인터뷰했다. 자료수집에서 가장 두드러진 성과는 토마스의 손녀인 엘리자베스 한 여사(Mrs. Elizabeth Hann)에게서 그녀가 소장하고 있던 자료 일체를 제공받은 일이었다. 이를 통해서 토마스 전기(傳記) 서술에 새로운 그림을 그려낼 수가 있었다.

고무송은 자신의 박사학위논문이 단지 책상머리에서 작성된 작품이나 창작물이 아니라 역사의 현장에서 생성된 "집단공동노작(集團共同勞作)"이라 했다. 그리고 고무송은 토마스에 관하여 다음과 같은 결론에 이르렀다.

> 1866년, 토마스가 타고 온 미국 국적의 무역선 제너럴셔먼호(The General Sherman)를 화공(火攻)으로 수장(水葬)시킨 연고로 미국정부로부터 배상을 요구받은 조선정부는 이에 불응, 한미전쟁(辛未洋擾 1871년)이 야기됐고, 그 결과 조미통상조약(朝美通商條約 1882년)을 체결, 미국 국적의 선교사들이 합법적으로 조선에 입국할 수 있게 됐으며, 따라서 1884년 알렌선교사의 입국이 합법적으로 가능하게 됐던 것입니다. 그러니까, 이의 단초(端初)를 제공한 1866년 토마스선교사의 입국을 개신교 최초 조선선교의 기산점(起算点)으로 삼아야 하지 않겠는가, 하는 것이 필자의 주장입니다. 이는 알렌의 한국선교 보다 18년 앞서고 있습니다.
>
> 또한 필자가 토마스목사를 개신교 한국 최초의 서양선교사로 주장하는 것은, 그가 한국을 향하여(To Korea), 한국백성에게 복음을 전하기 위하여(For Korean), 분명한 목적을 갖고 한국에 입국했다는 역사적 사실(史實)에 근거를 두고 있는 것입니다. 그에 앞서 개신교도라 할 수 있는 벨트브레(Jan J. Weltevree), 하멜(Hendrick Hamel), 맥스웰(Murray Maxwell), 홀(Basil Hall) 등의 표착(漂着)과 개신교 성직자인 칼 구츨라프(Karl G. A. Gutzlaff)의 방문(訪問)이 있었지만, 이는 항해중 자연환경에 따른 해후(邂逅)요 조선을 향한 선교목적은 아니었다는 사실

입니다. 따라서 토마스목사야 말로 한국을 향한, 한국을 위한, 최초의 개신교선교사라 할 수 있을 것입니다.

아울러, 그의 죽음에 관하여, 제너럴셔먼호의 중무장과 토마스를 비롯한 선원들의 무장으로 인하여 '순교'(殉敎)로 보기엔 적절치 않다는 주장은, 역사해석(歷史解釋)에 있어 시대배경(時代背景)을 간과(看過)한 평가라 할 것입니다. 토마스목사의 선교사로서의 조선입국과 순교자로서의 죽음은 1866년에 이뤄진 역사적 사건으로서, 이는 19세기 서세동점(西勢東占)의 분위기가 고조되던 시기로서, 어떠한 선박(貿易船포함)이나 인물(宣教師포함)이라 할지라도, 자위(自衛)와 신변안전(身邊安全)을 도모하기 위한 수단으로서, 기본적으로 무장(武裝)을 하였다는 역사적 사실(史實)이 이를 뒷받침해 주고있습니다. 예컨대 한국선교를 감당했던 미국 북장로교 선교사들 역시 한국에서의 선교현장에 투입될 때, 무장을 했다는 사실(事實)이 이를 웅변으로 설명해 주고 있습니다. 다만, 자위수단(自衛手段)의 범위와 개념정리(概念整理)는 부연설명(敷衍說明)이 필요한 부분이거니와, 토마스목사는 한국개신교 최초의 선교사(宣教師)이며, 한국개신교 최초의 순교자(殉教者)라 하는 것이 본 논문의 결론임을 밝혀두고자 합니다.

고무송은 영어로 작성된 박사학위논문을 우리말로 번역하여 단행본 『토마스와 함께 떠나는 순례여행』(쿰란출판사, 2001)을 출판했다. 그러면서 그는 자신의 토마스연구는 여전히 '미완성'(未完成)이라고 자평했다, 그가 논문을 마감할 그때(1995년) 까지도 순교현장인 평양을 답사할 수 없었던 한반도의 정치적 상황과 토마스에 관한 최초의 박사학위(PhD) 논문이기에, 후학(後學)들에 의해 보다 더 깊은 연구가 이뤄질 것을 기대하는 뜻이 '미완성' 이라는 표현 속에 담겨져 있다고 보여지는 것이다. 그런 의미에서 고무송 박사는 토마스연구의 순례자(巡禮者)라 할 수 있을 것이다.

필자에게 처음으로 토미스목사의 순교에 대하여 이야기를 들려준
아버지 고춘길 장로와 어머니 신필례 권사.

〈논찬(論贊)〉

고무송 박사의 〈토마스 목사의 한국선교에 대한 재조명〉을 읽고

조병호 박사(한시미션 대표)

먼저 한국선교에 대한 재평가 문제를 다룬 위 논문 "토마스 목사의 한국선교에 대한 재조명"을 읽고 논평자는 토마스 목사와 한국선교에 대해서 진지하게 고민할 수 있는 기회를 갖게 되었습니다. 이 논문을 쓰신 고무송 박사님께 감사를 드립니다.

위 논문에서 고 박사는 한국선교에 대해 재평가를 겨냥합니다. 즉 본 논문의 결론에서 밝힌 대로 "Mission is Incarnation"이라는 선교학자 데이비드 보쉬(David Bosch)의 주장과 또 "순교자의 피는 교회의 씨앗"이라는 터툴리안(Tertullian)의 주장을 기반으로 한국선교의 재평가 문제를 조명하는 데 그 목적이 있습니다. 그는 한국에서의 선교역사가 어떤 역할을 하였는가, 그리고 어떻게 이해되어야 하는가라는 과제를 토마스 목사의 경우를 통해 살피면서, 21세기 선교 실제의 지향성으로 나아가고 있습니다.

고 박사는 서양 선교사들을 받아들인 지 2세기로 접어든 시점에 이른 한국교회가 더 이상 '선교사를 받아들이는 교회' 가 아니라 오히려 '선교사를 파송하는 교회' 가 되었음에도 불구하고, 한국교회의 선교가 지닌 문제점들에 대해 명쾌한 해결책을 찾는 일이 쉽지 않다는 한국교회의 현실적 딜레마를 직시합니다. 그리고 그 효과적 해결책을 토마스의 생애와 사역을 연구함으로써 찾을 수 있다고 제안합니다. 물론 고 박사는 토마스 탐구에 있어서 발생하는 여러 논쟁점들, 예를 들어 한국교회에서 토마스 목사가 역사적 실제보다는 신화적인 영웅으로 묘사돼 있다는 점, 19세기에 행해졌던 제국주의와 선교에 대한 논쟁이 최근 한국교회 내에서 중요한 문제로 부상하는 점 등을 배제하지 않고 그 필요성을 인정합니다. 오히려 고 박사는 '신화와 사실(Myth and Reality)', '제국주의와 선교(Imperialism and Mission)' 라는 연구틀 위에서 앞의 논쟁점들을 정면으로 응시하고 있습니다.

이제 좀 더 고 박사의 대상 논문으로 접근해 보겠습니다. 고 박사는 위 논문에서 그 자신이 어려서부터 부모님으로부터 토마스 목사를 영혼 속 깊은 곳의 멘토로 소개받았다는 내용을 첫 항목으로 하여, 망각(忘却), 해후(邂逅), 하노버교회(Hanover Church), 토마스 목사의 최후, 그리고 선교란 무엇인가?(What is Mission?) 등의 항목들을 정리함으로써 자신의 인생여정과 함께 '통전적 순례역사기술' 이라는 새로운 방식으로 자신의 논거를 서술하고 있습니다.

고 박사에 따르면, 토마스 목사의 한국에서의 이미지는 1926년 이후 1970년대까지 종교적, 정치적 색채를 띠고 있으며, 한국교회에서는 신화 혹은 설화가 되었습니다. 바로 이 기간 동안 한국교회의 아들로 내어나 성장한 고 박사 자신 또한 이 같은 토마스의 모습으로 학습되어져 있다고 반추합니다. 바로 이러한 학습효과는 그의 젊은 날(서울사대 역사학도)을 지배하였고, 결국 그가 박사학위 논문으로 토마스 목사의 생애를 다루게 되는 동인(動因)이 되었습니다. 물론 이만열 교수의 연구, 소위 "토마스 신화에 대한 해체"(한국기독교100년사, 36면)는 고 박사에게 충격을 가함과 동시에 토마스 재평가라는 역동을 추동시켰습니다. 우린 여기에서 고 박사와 같은 시대를 살아온 이만열 교수가 왜 1980년대에 접어들어 토마스 목사에 대한 재평가를 시도했는지, 그에 대한 논의는 접도록 하겠습니다. 다만 고 박사나 이만열 교수가 역사가로서 그들 자신의 시대에 속한 사람이며, 인간의 존재 조건 때문에 그 시대에 얽매일 수밖에 없다는 사실을 유념하여 둘 필요는 있다 하겠습니다.

위의 한계에도 불구하고 고 박사의 역사가로서의 탁월함은 보다 사실적인 토마스의 초상을 보기 위해서, 그의 생애와 사역의 역사적 실체를 발견하기 위해서, 그리고 이 중요한 한국교회의 신화적 인물에 대한 역사적이고 비평적이며 책임 있는 해석에 최대한으로 접근하기 위하여, 제반 역사 자료들을 심도 있게 분석해 냈다는 사실에 있습니다.

고 박사는 위 연구를 발전시켜 감에 있어, 역사적 서술 자료와 관련하여서는 비평적 · 문헌학적 방법을 사용하려 합니다. 이를 위해 증거문서를 보다 많이 확보하는 일은 필수적이기에, 새로운 일차 사료 발굴을 위해 그가 기울인 노력은 가히 필사적이라 할 만합니다. 주지하다시피 토마스 목사는 짧게 그 생을 마감하였기에, 그의 생애와 사역에 관해 재구성하는 것은 그의 의지와는 별개로 여간 힘든 일이 아니었을 것이기 때문입니다. “토마스가 27세의 나이로, 자녀 없이 죽은 지 100년도 훨씬 넘었기 때문에, 그의 유산을 발견하기 위해 그의 조상을 추적하고 그의 후손이나 친척들을 찾아내는 일은 쉽지 않았다.”고 그는 말합니다. 또한 “처음 이 연구를 시작했을 때, 토마스가 일생을 보낸 현장들은 물론, 사역한 선교현장들까지 찾아가게 되는 일종의 순례가 되리라는 것을 예견하지 못했다.”라고 고백합니다.

하지만 그는 이 ‘순례과정’ 속에서 그 동안 묻혀 있던 새로운 문서들을 발견하게 되는 놀라운 학문적 · 역사적 성과들을 이뤄내게 됩니다. 한 예로 토마스의 정확한 출생 연월일을 알아낸 것을 비롯해서, 보다 상세한 내용들을 파악하는 일에 큰 진보를 이루었습니다. 그는 토마스를 포함, 제너럴셔먼호에 승선하고 있던 사람들 전원을 죽이고 그 배를 불태우라는 명령을 내렸던 감사 박규수가 남긴 자료들을 수집하였고, 한편 미국에서는 보스턴 대학교, 하버드 대학교, 예일 대학교 및 프린스턴 신학교 등의 도서관과 고문서 보관소를 직접 방문하여 자료를 모았습니다. 오문환이 1928년에 저술한 『도마스 목사전』도 예일 대학교에 있는 Day Mission Library에서 발견하였습니다. 그 책은 토마스 목사에 관한 최초의 단행본으로서, 한국에서는 찾을 수 없었던 책입니다.

이와 같은 고 박사의 노력은 “역사가의 의무는 다만 ‘그것이 실제로 어떠했는가(wie es eigentlich gewesen)’를 보여주는 것”이라고 주장했던 독일의 실증주의 역사가 랑케의 명제를 넘어선 노력이라고 볼 수 있습니다. 저는 고 박사가 언급했던 ‘토마스 목사에 대한 망각(忘却)의 세월’ 동안, 그가 경험하였던 기자와 PD로서의 세월이 바로 이러한 연구를 가능케 하는 데 기반이 되었다고 봅니다. 그 기간은 그가, 수집된 도서관 자료에의 의존적 역사가로서의 한계를 극복하는 준비세월이 되었던 것입니다. 다시 말해 어쩌면 그의 '토마스 목사에 대한 망각(忘却)의 세월' 까지도 토마스 목사에 대한 연구의 준비과정이었다고 볼 수 있는 것입니다.

고 박사는 본 논문을 통하여 토마스의 죽음에 대해 발견한 가장 중요한 것은 "역사에 있어서 사건 그 자체의 실재성보다는 그의 죽음에 부가되는 해석이었다."고 지적합니다. 다시 말해 토마스의 죽음의 신비를 밝히고, 그 죽음이 순교였는지 단순한 살해였는지 조사하였지만, 그것은 여전히 명쾌하게 풀리지 않는 문제였다는 것입니다. 그럼에도 불구하고 토마스의 죽음은 "세미한 음성"으로 증언한다는 것입니다. 즉 고 박사는 마치 토마스가 살아남아 있는 것 마냥 "토마스와 대화를 나눌 수 있었다"고 말합니다. 이 점은 "역사가는 자신이 다루고 있는 사람들의 마음, 그들의 행위의 배후에 있는 생각을 상상적으로 이해해야 할 필요가 있다"는 E. H. Carr의 지적을 떠올리게 합니다. Carr는 "만일 역사가가 자신의 서술대상인 사람들의 마음과 어떤 식으로든 접촉할 수 없다면 역사는 쓰여질 수 없는 것"이라고 서술한바 있습니다.

결론적으로 고 박사는 토마스 목사에 관해 한국과 해외에 존재하는 상반된 견해들, 즉 '한국 개신교의 최초 순교자' 인가, 아니면 '서구 제국주의의 첩보원' 인가 등, 서로 대립되는 사상적 · 신학적 견해에도 불구하고, 토마스는 그의 사역뿐 아니라 '죽음을 통해서' 메시지를 남겼다고 주장합니다. 즉 토마스의 선교는 사역이라기보다는 죽음 그 자체였던 것처럼 생각된다는 것입니다. 한마디로 고 박사의 결론은 토마스 목사가 한국교회 개신교 최초의 순교자로서 제대로 존경받아 마땅하다는 것입니다. 고 박사는 오늘날 한국교회가 지향하고 있는 물량주의와 성공지상주의적 시각으로만 본다면, 토마스는 실패한 선교사요 그의 사역 또한 높이 평가될만한 것이 없다 하겠지만, 선교가 삶 전체를 내어주는 헌신(獻身) 그 자체라는 관점에서 볼 때는 21세기 한국교회에 하나의 선교 모델로서 토마스 목사를 언급하는 것이 바람직하다고 주장합니다. 이러한 결론을 이끌어내는 데까지 나아오도록 자신의 연구를 완성도 있게 이루어낸 것, 이것이 바로 고 박사의 연구의 가치이며 높은 공헌이라 하겠습니다.

사실 고 박사는 독일의 저명한 신학사전 『RGG4』(Religion in Geschichte und Gegenwart) 내에 있는 '한국 선교' 항목의 저자로서 이미 그 명성을 드러내었습니다. 아울러 그가 그의 논문 에필로그를 통해, 21세기 한국교회의 최대 과제인 남북통일을 토마스의 순교지였던 평양과 관련시킨 것은 매우 적절한 시도라고 여겨집니다. 그가 이제 토마스 연구를 시작으로 120년 한국교회사에 순교자적 삶을 살았던, 감추어졌던 인물들에 대해 본격적인 연구를 시작하는 것은 한국교회의 입장에서 만시지탄(晩時之歎)의 감(感)은 있으나 아주 환영할 만한 일입니다. 어느 한 인물에 대한 자료까지 복원해가며 박사학위 논문 차원으로 인물사 연구를 성공적으로 마친 경우로서는 고 박사의 토마스 연구가 120년 한국교회 역사상 한국학자로서 처음 있는 일이었습니다. 이 같은 놀랄만한 업적을 성취해낸 고 박사가 '한국교회인물연구소'의 설립과 사역에 본격적으로 착수했다는 것은 한국교회의 크나큰 기대를 안아내는 일일 것입니다.

논찬을 마무리하며, 전체적인 논지에 접근하는 것은 아니지만, 다만 논문에 관련하여 두 가지 정도 미미한 질문을 하고자 합니다. 첫째는 영국 빅토리아 시대의 선교와 토마스의 선교사역, 그리고 기독학생선교운동과의 관계성에 대해서 좀 더 긴밀한 설명이 있었으면 하는 생각이 들었습니다. 왜냐하면 당시에 세계선교는 1884년 영국 런던에서 시작된 YMCA 운동과 1858년 영국 캠브리지 대학교회 선교단 조직, 그리고 D. L. Moody의 자극을 받아 1888년 YMCA, YWCA, 신학교선교연합회, 3개 단체의 연합으로 시작된 '학생선교자원운동(The Student Volunteer Movement)' 등을 배경으로 하고 있기 때문입니다. 그 당시 학생들의 "세계 복음화는 우리 세대에(the evangelization of the world in this generation)"라는 슬로건은 19세기 당시의 제국주의와 일정 불연속성을 가지고 있다고 볼 수 있기 때문입니다. 둘째는 제너럴셔먼호와 관련하여 당시 선교사들의 여행수단이 어떠했는지 궁금합니다. 그때만 해도 여객선보다는 상선과 군함이 주로 운행되어졌다고 짐작하는데, 선교사들의 여행수단에 대한 부분이 살펴졌으면 하는 바람입니다. 감사합니다.

*위의 글은 2005년 10월 11일 한국교회 100주년기념관에서 행해졌던 한국교회인물연구소(이사장 김삼환/ 소장 고무송) 창립예배 및 기념포럼에서 열렸던, 고무송목사의 〈한국최초 개신교선교사 토마스목사의 한국선교에 대한 재조명〉 발표논문에 따른 조병호목사(한시미션 대표)의 논찬입니다.

〈머리말〉

감사합니다

필자는 영국 버밍함대학교에서 토마스의 생애와 선교사역에 관한 논문을 집필, 4년만에 선교신학박사학위(PhD)를 취득할 수 있었습니다. 지도교수 Werner Ustorf 박사님은 이렇게 코멘트했습니다.

> 고목사님께서 이토록 빠른 시간 안에 좋은 논문을 쓸 수 있었던 것은 젊은시절 신문기자(Journalist)와 방송 프로듀서(Producer)로 활동했기에 가능했던 것 아닐까 여겨집니다.

사실 그러한 것 같습니다. 저는 조선일보 기자로 3년, 문화방송 프로듀서로 13년, 도합 16년동안 매스미디어 속에서 젊은날을 보냈습니다. 아직 MBC에 TV가 시작되기 전 라디오 드라마PD로 활동, 전설따라삼천리 · 법창야화 · 왕비열전 등 도큐멘터리와 역사물을 기획 연출했습니다. 전국은 물론 세계 방방곡곡을 찾아 소재를 발굴하고 관계자들을 만나 인터뷰 했습니다. 결국 그 모든 일들은 토마스목사 연구를 위한 준비작업이 아니었나 여겨집니다. 재미있고 보람된 일이었습니다. 미디어를 통해 조국과 민족을 위해 무엇인가 기여할 수 있다고 생각했던 시절이었습니다. 그러나 1980년 신군부를 앞세운 군사독재자들이 광주에서 무고한 시민들의 피를 흘리게 하고 정권을 찬탈, 그들은 걸림돌이 되는 언론인들을 강제해직 시켰습니다. 그때 필자는 영광스럽게 해직자의 반열에 오르게 됐습니다. 그 사건 인하여 매스미디어를 통해서가 아니라, 영혼의 변화를 통해서만 역사의 변화가 가능하다는 깨달음을 얻게됐습니다. 그때 제 나이 마흔, 뒤늦게 신학을 공부하여 목회자로 변신하게 된 것입니다. 그 무렵 망각(忘却) 속에 묻혀있던 토마스목사가 부상(浮上) 했습니다.

토마스와의 만남

저는 4대째 예수를 믿는 집안의 종가댁 장손으로 태어났습니다. 어려서 아버지와 어머니를 통해 토마스목사 이야기를 들으면서 자랐습니다. 복음 들고 우리 땅을 찾아왔다가 대동강에서 목숨을 바쳐 순교한 영웅이었습니다. 그를 더 깊이 알고자 대학에서 역사를 전공했던 것 같습니다. 한국현대사의 질곡(桎梏) 속에서, 뒤늦게 신학공부를 마치고 목사안수를 받은 후 더 공부하고 싶어 영국으로 유학을 떠났습니다. 런던한인교회를 섬기며 신학공부를 이어갔습니다. 어느해 부활절 전교인 수양회로 찾아간 곳이 웨일즈였습니다. 그곳 사람들로부터 이야기를 들었습니다.

> 100여년 전 조선 땅에 복음을 전하러 선교사로 갔다가
> 순교하신 분을 기념하는 교회가 이곳 어딘가에 있다더라.

수소문 끝에 찾아낼 수 있었습니다. 토마스목사의 순교를 기념하는 하노버교회(Hanover Church)였습니다. 아버지가 그 교회 담임목사였

고, 둘째 아들이었던 토마스는 그 교회에서 성장, 결혼했고, 그 교회를 통해 중국선교사로 파송을 받게 됐다는 사실을 알게됐습니다. 아, 과연, 무엇이, 토마스로 하여금 이토록 아름다운 고향을 떠나 조선땅 대동강변에서 순교의 제물이 될 수 있게 한 것일까? 비상한 관심을 갖게 됐습니다. 그리곤 버밍함대학교에서 그의 생애와 선교사역을 주제로 한 선교신학논문을 쓰게 됐던 것입니다. 제 나이 쉰 살, 만학(晩學)이요, 만각(晩覺)이었습니다.

토마스 찾아 3만리

막상 논문에 착수했으나 자료가 없었습니다. 없나니, 하나도 없었습니다. 어딘가에 묻혀있을 자료를 찾아 그의 고향 웨일즈로 부터 시작, 그가 신학공부를 했던 런던, 첫번째 선교사역지인 중국 상해, 그곳에서 아내를 사별하고 옮겨간 산동반도 연대, 그리고 그가 타고 조선에 건너간 미국국적의 제너럴셔먼호의 정체를 추적, 미국의 국가기록보존소(Archives), 대학도서관 등등 수 많은 관계 기관들과 관계자들을 찾아 자료를 발굴해야 했습니다. 그것은 진정 '토마스찾아삼만리' 였습니다. 천신만고 끝에 그의 후손을 찾아낼 수 있었고, 그들이 보존하고 있던 토마스에 관한 자료들을 입수할 수 있었으며, 새롭게 발굴한 자료들을 통해 그에 관해서 새로운 모습을 그려낼 수 있게 된 것입니다.

그러나 토마스가 마지막 숨을 거둔 평양 대동강은 찾아갈 수 없었습니다. 4년만에 마친 논문은, 그러기에 미완성교향곡이었습니다. 토마스가 마지막 숨을 거두었던 그 땅, 평양을 찾아갈 수 없었기 때문.

1995년 필자는 학위를 취득하고 귀국, 휴전선 가까운 곳에 교회를 개척, 통일을 대비하는 목회를 하고자 했습니다. 동시에 대한예수교장로회 총회 기관지인 한국기독공보 창간50주년을 기념하는 '한국교회 여명기를 가다' 기획물에 토마스목사에 관해서 집필할 수 있는 기회를 갖게 되었습니다. 이 책에 수록된 글은 바로 그 기획물에 연재했던 내용입니다. 그 인연 인하여, 필자는 편집국장을 거쳐 사장으로 한국기독공보를 섬길 수 있는 기회를 갖게되었습니다. 뿐만 아니라 평양을 다섯 차례 방문, 토마스에 관한 자료들을 수집, 완성교향곡으로 보완할 수 있는 축복도 누리게 됐습니다.

공동노작(共同勞作)

부족한 종에게 귀한 논문을 쓸 수 있도록 지도해 주신 지도교수 Werner Ustorf 박사님과 토마스목사의 후손 가운데 Elizabeth Hann 여사님과 토마스기념교회인 하노버교회 Nancy Wilson 장로님과 성도님들께 깊은 감사를 드립니다. 아울러 토마스목사의 인생과 선교사역을 역사무대에 재현할 수 있도록 도와주신 한국교회 원로 방지일 목사님과 멘토이신 주선애 교수님, 그리고 한국교회인물연구소(韓人研 Institute for Character Research in Korean Church) 이사장 김삼환목사님을 비롯 많은 분들의 기도와 지도 편달에 진심으로 감사를 드립니다. 귀한 지면을 할애, 토마스목사에 관한 연구 배경과 숨은 이야기들을 진솔하게 고백할 수 있는 장(場)을 열어준 한국기독공보사에 감사를 드립니다.

특별히 토마스목사님의 순교정신을 오늘 한국교회가 계승 발전해야 됨을 인식하고 뜻을 모아서 토마스선교회(TMI: Thomas Mission Institute)를 결성, 함께 연찬을 거듭하고 있는 동지 여러분과 추천의 말씀을 주신 임희국 박사님(장신대 교회사), 그리고 논찬의 글을 주신 조병호 박사님(한시미션 대표)에게 깊은 감사를 드립니다.

특별히 감사함은, 작곡가 이신우 교수님(서울대 음대 작곡과)께서 토마스 목사의 순교를 기리며 작곡한 목관5중주 제2번(Windquintet No.2) 「토마스를 기억하며」(Homage to Thomas)를 토마스선교회(Thomas Mission Instistute)에 헌정(獻呈)함에 삼가 하나님께 영광을 올려 드립니다.

아울러 처음으로 필자에게 토마스목사 이야기를 들려주신 부모님과 고향교회에서 함께 자라나 지금까지 평생 파트너로 동행해 주고있는 사랑하는 아내와 삼남매 그리고 네 손주들에게 고마운 마음을 전하며, 이 책을 출판해 주신 도서출판 드림북 민상기 사장님과 관계자 여러분들의 노고에 진심으로 감사를 드립니다.

저의 논문은 결코 독창적인 창작물(創作物)이 아니요, 여러분들과 함께 쓴 공동노작(共同勞作)임을 이 책을 통해 독자 여러분에게 분명히 밝혀드리며, 또한 후학(後學)들에게 길라잡이가 될 수 있도록 자료의 소재지와 관계기관은 물론 접근방법 등을 기록으로 남겨놓았음을 알려드립니다.

감사합니다.

차례

〈프롤로그(Prologue)〉

"토마스목사에 대한 새로운 평가 절실합니다"

1

이 글은 1996년 2월 3일자 한국기독공보 13면 '교회와 사람'(Church & People)에 게재된 인터뷰기사이다. 고무송목사는 1980년 신군부에 의해 강제해직된 언론인으로서, 이 사건을 계기로 뒤늦게 신학을 공부, 목사안수를 받은 뒤 영국에 유학, 버밍함대학에서 토마스목사의 생애와 선교사역에 관한 연구로 선교신학 박사학위(PhD)를 취득했는데, 한국기독공보 창간50주년기념 기획특집 '한국교회 여명기를 가다' 에 토마스목사에 관해 연구한 내용을 15회에 걸쳐 연재, 독자들의 큰 호응을 받은 바 있다. 이 기사는 고무송목사가 집필에 앞서 한국기독공보 기자와 가졌던 특별 인터뷰 내용이다. 그는 인터뷰에서 "토마스목사에 대한 새로운 평가가 절실합니다"라고 강조했다.

〈편집자 주〉

토마스목사에 대한 연구로 영국 버밍함대학교에서
지난해 선교신학 박사학위(PhD)를 취득한 고무송목사
해직언론인, 뒤늦게 신학수업, 영국에서 선교사 활동도

지난 해(1995년) 말, 한국에서 순교한 개신교 최초 순교자 토마스목사에 대한 연구로 영국 버밍함대학교에서 선교신학박사학위(PhD)를 취득한 고무송목사(사진)는 "10년 외국생활 동안 늘 기도로써 도와주신 많은 분들께 감사한다"는 인사로 말문을 연 뒤 진정한 세계와의 나눔을 위해 한국교회는 토마스목사에 대한 새로운 평가작업이 절실함을 역설했다.

고무송 목사

1980년, 신군부 정치군인들에 의해 해직됐던 언론인 7백12명 가운데 한 사람이었던 '고무송PD' 가 16년의 세월을 지낸 이제, 바야흐로 그들에 대한 역사의 단죄가 진행되고 있는 가운데 한국교회와 세계교회를 위한 준비를 마치고 다시 우리 앞에 '고무송 신학박사' 로 서게 된 것은 오묘한 하나님의 섭리요, 역사의 아이러니가 아닐 수 없다.

강제해직 이후 하용조목사 등 평소 가까이 지내던 주위 목회자들의 권유로 신학수업과 목사안수를 받은 뒤 1986년 영국으로 때늦은 유학길에 올랐던 고무송목사는 런던에서 일링한인교회를 담임하기도 했다. 평범한 목회의 길을 걷던 고목사가 다시 한번 학문의 길에 들어서게 된 것은 부활절을 맞아 가졌던 전교인 수련회 중에 웨일즈 지방을 여행하면서 토마스목사가 세례를 받고 성장, 그를 선교사로 파송했던 하노버교회(Hanover Church)를 방문하게 된 것이 계기가 됐다.

그후 고무송목사는 서울대학교에서 전공했던 역사학의 바탕 위에 일간지 조선일보 기자를 거쳐 문화방송의 프로듀서로 활동하며 다루었던 '전설따라 삼천리' '법창야화' 등 역사물과 도큐멘터리에 대한 경험들을 총동원해서 130여년전 조선땅에서 순교의 피를 흘려야 했던 한 선교사의 생애와 선교여정을 추적하기 시작했다. 고목사는 토마스가 태어났던 영국 웨일즈지방을 시작으로 목회수업을 받은 런던대학교, 첫번째 선교지였던 중국의 상해(上海)와 두번째 선교지 산동반도 연대(煙臺), 그리고 그가 타고왔던 미국상선 제너럴셔먼호(The General Sherman)의 실체를 찾아 미국 등지를 탐사, 자료를 수집했다. 토마스목사의 발자취를 좇는 과정에서 고목사는 그의 후손을 만나

귀중한 자료를 입수하는가 하면 그의 출생연도에 대한 오류를 밝혀내는 등 힘든 과정을 겪으면서도 토마스와 동행하는 즐거움과 많은 보람을 느낄 수 있었다고 말했다.

"지금와서 생각하면, 모든 것이 합력하여 선을 이룬다는 성경말씀처럼, 지나온 생의 득(得)과 실 (失) 모두가 하나님의 일을 위한 간섭과 섭리였음을 고백할 수 밖에 없다"고 말하는 고목사는 아직도 자신의 논문이 '미완성교향곡' 이라고 밝혔다. 총 330여 페이지, 영문 8만 단어가 넘는 방대한 분량의 내용과 다양한 사료에도 불구하고 자신의 논문을 미완성이라고 밝힌 이유를 "아직 토마스목사의 순교지인 평양을 방문하지 못했기 때문"이라면서, 실제로 북한 내에는 토마스목사의 순교사건을 자신들의 체제유지나 미화 차원에서 '최초의 서구 제국주의 침략을 무찌른 사건' 으로 평가절하하고 있지만, "아직도 평양 일대에는 토마스에 관한 많은 역사적 자료가 남아있을 것"을 확신한다고 밝혔다.

학위를 마친 이후 계획에 대해 고무송목사는 "이제부터 해야 할 일이 많은 것 같다"면서 영어로된 논문을 우리 말로 번역하는 일, 그리고 토마스평전 집필 등을 통해 한국교회에 선교적 대안을 제시하는 한편 평신도들에게 선교의식을 고취하는 일을 하고 싶다고 말했다. 그는 "무엇보다 최대의 바램은 외국생활을 마감하고 돌아와 고국에서 목회자로서 헌신하는 일"이라고 밝혔다.

토마스목사 연구를 위해 런던한인일링교회 담임목사직을 사임하고 연구에 전념, 4년만에 선교신학박사학위(PhD)를 취득한 고무송목사는 외국에서의 목회생활을 통해 얻은 경험을 담은 에세이 등 저서를 여러 권 집필해 왔으며 현재는 작곡가 박재훈목사의 권유로 4막5장의 '토마스목사 오페라' 대본을 집필중이기도 하다. 현재 본교단 총회파송 영국주재 선교사인 고목사는 영국교회(Southall Evangelical Church) 협동목사로 시무중이며 부인 전영자 사모와의 사이에 1남2녀를 두고 있다.

한편 고무송목사는 본보 2070호(1996년2월17일자) 부터 학위논문을 기초로 하여 창간50주년 기획특집 '한국교회 여명기(黎明期)를 가다' 를 통해 토마스목사의 선교현장에 관한 글을 연재할 예정이다.

인터뷰

김보현次長

토마스목사에 대한 연구로 英 버밍햄大서 학위취득한

고무송牧師

지난해 말 한국에서 순교한 토마스목사에 대한 연구로 버밍험대학에서 신학박사(Ph.D)학위를 취득한 고무송목사는 『10년 외국 생활동안 늘 기도로써 도와주신 많은 분들께 감사한다』는 인사로 말문을 연 뒤 진정한 세계와의 나눔을 위해 한국교회는 토마스목사에 대한 새로운 평가작업이 절실함을 역설했다.

80년, 정치 군인들에 의해 해직됐던 언론인 7백12명 가운데 한 사람이었던 「고무송 PD」가 16년의 세월을 지내고 그들에 대한 역사의 단죄가 진행되고 있는 가운데 한국교회와 세계선교를 위한 준비를 마치고 다시 우리 앞에 서게 된 것은 역사의 아

을 총동원해 1백30여년 전 조선 땅에서 순교의 피를 흘려야 했던 한 선교사의 생애와 선교 여정을 추적하기 시작했다.

그가 태어난 웨일즈지방을 시작으로 목회수업을 받은

토마스목사의 순교지인 평양을 방문하지 못했기 때문』이라면서 실제로 북한 내에는 토마스목사의 순교사건을 정권 미화차원에서 「최초의 서구제국주의의 침략을 무찌른 사건」으로 평가. 하지만 아직 많은 사료가 남아 있음을 확인했다고 밝혔다.

학위를 마친 이후 계획에 대해 고 목사는 『이제부터 해야 할 일이 많은 것 같다』면서 논문 번역과 토마스평전 집필등을 통해 한국교회에 선교적 대안을 제시하는 한편 평신도들에게 선교의식을 고취하는 일을 하고 싶다면서도 『무엇보다 최대의 바램은 외국 생활을 마감하고 돌아와 고국에서 목회자로서 헌신하는 일』이라고 밝혔다.

"토마스 목사에 대한 새로운 평가 절실합니다"

필자의 한국기독공보 첫 인터뷰 기사

Chapter 01

토마스목사와 한국교회

한국기독공보 창간50주년을 기념하여 기획한 '한국교회 여명기(黎明期)를 가다' 에서 한국땅에서 개신교선교사로서 최초로 순교한 토마스목사의 발자취를 추적, 오늘의 한국교회의 참 모습을 찾고자 한다. 이 글은 영국버밍함대학교에서 토마스목사의 생애와 선교사역을 주제로 한 연구논문으로 선교신학박사학위(PhD)를 취득한 고무송목사(런던한인일링교회 담임)를 통해 토마스목사의 출생으로부터 중국에서의 선교사역 그리고 평양대동강변에서 순교하기까지의 모든 발자취를 따라 현장을 취재, 집필한 도큐멘터리 논문이다. 귀한 논문을 토대로 하여 집필과정에 따른 뒷이야기를 한국기독공보 독자들을 위하여 소상하게 밝혀주심에 감사를 드린다. 〈편집자 주〉

토마스 선교사(Rev.Robert Jermain Thomas · 1839-1866)

영국 웨일즈 하노버교회

필자가 가족들과 함께 영국 웨일즈에 있는 하노버교회(Hanover Church)를 찾은 것은 1991년 크리스마스 아침이었다. 토마스목사(Rev. Robert Jermain Thomas 1839-1866)가 어린 시절을 보냈고, 첫 설교를 했고, 목사안수를 받았고, 결혼식을 올렸고, 선교사로 파송을 받았고, 이제는 그의 순교를 기념하는 교회로 의연하게 자리를 잡고 있는 토마스의 요람. 그는 당시 그 교회를 섬기고 있던 담임목사의 둘째 아들이었던 것이다. 필자는 토마스의 숨결을 따라 그가 머물렀던 발자취를 더듬으며 순례의 길을 떠남에 있어 그 첫발걸음으로 그의 고향교회를 찾아나선 것이다. 필자는 그의 생애와 선교사역에 관한 연구로 버밍함대학교에서 선교신학 PhD논문을 집필하는데 있어, 세상 끝까지 그의 체취가 배어있고, 발걸음이 머물렀던 곳을 찾아 현장감이 넘치

하노버 교회(영국 웨일즈)

는 도큐멘터리 논문을 쓰고자 하는 것이었다. 그 첫걸음으로 하노버교회를 찾아 그 교회 성도들과 우리 가족들이 함께 성탄절예배를 드리고자 한 것이다. 그런데 교회의 정문에 자물쇠가 채워져 있고, 자그마한 쪽지가 붙어있는 것 아닌가.

죄송합니다. 오늘 크리스마스 예배가 없습니다.

간신히 쪽지 말미에 적혀있는 그 교회 장로님 낸시 윌슨(Mrs Nancy Wilson)을 수소문, 교회당 안으로 안내받을 수 있게 되었다. 70석 남짓 고풍스럽고 자그마한 교회당은 깔끔하게 정돈돼 있었고, 정결한 예배실 정면 강단 오른쪽 벽, 그곳에 낯익은 토마스목사의 사진이 걸려 있는 것 아닌가. 그리고 그 바로 옆엔 그의 죽음을 애도하는 추모의 글이 대리석판에 음각으로 새겨져 있었다.

토마스 순교 기념석판 앞에 선 필자

토마스목사, 그의 나이 27세 때인 1866년,
선교사역을 위해 두번째 조선에 입국했다가
그 땅의 원주민들에게 죽임을 당하다.

나의 기운이 쇠하였으며 나의 날이 다 하였고
무덤이 나를 위하여 예비되었구나 (욥기17:1)

토마스목사를 찾아 떠나는 순례

토마스목사의 초상 앞에 서서 필자는 상념의 나래를 펼치며 1백여년 전 그가 조선 땅에 첫발을 내디뎠던 그때 그시절의 정황을 되새겨야 했다. 그가 복음을 전하고자 미지의 조선땅을 찾아들어 대동강변에서 숨을 거두게 된 것이 1866년이었으니, 한국교회 선교의 기산점(起算点)으로 잡고 있는 미국 북장로교 알렌(Horace N. Allen 1858-1932)의 조선입국이 있었던 1884년보다 18년이 앞서고 있는 셈. 그러니까, 이 작은 하노버교회야말로 어쩌면 한국에 첫번째 개신교 선교사를 파송했던 모교회(母敎會)가 되는 셈이다. 그 당시 조선은 그들에게 알려질 수 조차 없었던 은둔국(隱遁國 The Hermit Nation). 대원군은 이 나라에 쇄국주의(鎖國主義)라는 빗장을 쳐놓고 척화비(斥和碑)라는 말뚝을 온 강토에 박아놓아 서양 오랑캐들이 넘보지 못하도록 나라 안팎을 꽁꽁 묶어놓지 않았던가.

서양 오랑캐가 침입하는데, 싸우지 않으면 곧 화친을 하자는 것이요
화친을 한다는 것은 곧 나라를 팔아먹는 것이 된다. 이러한 사실을
만대 후손에게 경고하노라. 병인년에 짓고 신미년 세우다.

(洋夷侵犯 非戰卽和 主和賣國 戒悟萬年子孫 丙寅作 辛未立)

그런데 작고도 작은 이 교회가 어떻게 해서, 무슨 힘으로, 지구 저쪽 끝 조선땅에 까지 토마스목사를 선교사로 파송할 수 있었단 말인가. 이토록 아름다운 마을, 그토록 좋은 가정에 태어나서 런던에 까지 유학, 당시로서는 드물게시리 훌륭한 교육을 받아 탄탄대로 장래가 보장될 수 밖에 없었던 토마스. 그럼에도 불구하고 그는 모든 것 포기하고 깜깜하던 땅에 생명의 빛을 전하고자 조선으로 향하지 않았던가. 과연 무엇이 그로 하여금 부귀영달을 초개같이 버리고 고난의 삶을 스스로 선택케 한 것일까?

토마스를 찾으러 떠난, 그의 생애와 선교에 관한 탐사작업은, 어쩌면 1백년이 넘는 세월과 지구의 동서를 넘나드는, 자못 시공(時空)을 초월한 순례여정이 아닐 수 없는 것이었다. 필자의 발걸음은 그가 태어나고 자랐던 영국의 웨일즈로부터 시작, 그가 신학을 공부했고 선교의 꿈을 키웠던 런던, 그리고 그가 선교사로 파송되었던 중국의 상해(上海), 거기서 아내를 사별하고 옮겨야 했던 산동반도 연대(煙臺 Yentai), 그를 조선땅으로 실어날랐던 미국상선 제너럴 셔먼호(The General Sherman)의 신비를 풀어야 했기에 선적(船籍)을 따라 미국으로 건너가 동부지역의 대학도서관들과 정부의 극비문서 및 기록문서보존소(archives)를 방문해야 했다.

뿐만 아니라 한국의 여러 대학 도서관들과 개인장서, 사설서고, 또는 관계인들과의 인터뷰 등등 실로 헤아릴 수 없이 많은 사람들을 만나야 했고, 많은 서적들과 전적들을 발굴, 발췌, 복사, 정리해야 했다. 세계 여러 곳 산지사방에 흩어져 파묻혀 있는 파편들을 주워모아 모자이크, 토마스목사의 진면목(眞面目)을 재현(再現)해야 했던 순례여정이었다. 그것은 의미있는 탐방이었고, 희열에 넘치는 발걸음이었다. 지도교수 우스토프 박사(Prof. Dr. Werner Ustorf)의 지도에 힘입은 바 큰 것이었고, 그는 그런 나에게 이런 이야기를 들려주었다.

> 고무송목사께서 이 논문을 쓰게 된 것은 오래전부터 하나님의 예비하심이 있었던 것 같습니다. 젊은날 신문기자(Journalist)로, 방송프로듀서(Producer)로 일했던 경험들의 축적이라고 여겨집니다.

아닌게 아니라, 필자는 조선일보 기자로 3년, 문화방송 프로듀서로 13년 등 젊은날 16년동안 국내외로 사람들을 찾아 만났고, 현장을 찾아 인물들과 사건들의 실체를 밝혀내는 일을 해왔기 때문에, 토마스의 발자취를 따라 세계 각 곳을 찾아 자료를 수집하고 발굴하는 일은 너무나 재미있고, 신나고, 그리고 보람있고, 익숙한 일이 아닐 수 없었던 것이다.

순례길에는 많은 분들을 만나 도움을 받아야 했고, 그러기에 나의 논문은 책상에서 지어낸 혼자서의 창작작품(創作作品)이 아니고, 집단공동노작(集團共同勞作)이라 할 것이다. 그 가운데 한국교회 원로이신 방지일목사님께서 친히 중국선교의 경험을 통해 좋은 안내자로 나서주셨고, 미국에서 정부 극비문서 취급인가를 얻어 활동하고 있는 아드님까지 동원, 자료공수작전을 진두지휘까지 해 주셨다. 또한 필자의 영적 어머니이며 늦은 신학수업 길에 멘토(Mentor) 역할을 해 주신 주선애교수님은, 특별히 필자가 미국으로 자료수집차 떠날 때 프린스턴 신학교에 계시는 마펫((麻布三樂 S. H. Moffett) 박사님 앞으로 소개장을 써주셨는데, 그것이 토마스목사의 후손을 찾는 실마리가 될 수 있을 줄이야. 또한 친구목사 이종실선교사는, 그 역시 젊은날 역사학도로서 정성스레 수집해 놓았던 애장서(愛藏書)인 조선전사(朝鮮全史) 축약 총16권 한 질(帙)을 필자에게 선뜻 내어주었다. 이 자료는 토마스에 관한 연구서로서 가장 많은 분량을 할애하고 있는 귀중본(貴重本)이며, 그의 우의(友誼)를 넘어서는 쾌척(快擲)에 깊은 감사를 드린다.

잃어버린 토마스의 후손을 찾아

토마스를 찾아 떠나는 순례여행에 있어 필자의 마음을 가장 설레이게 했던 것은 그의 후손을 찾는 일이었다. 그의 고향엔 유족의 그림자조차 얼씬거리지 않았다. 백년이 넘는 세월 속에 뿔뿔이 흩어져버린 것이었다. 그런데 놀랍게도 미국의 프린스턴신학교에서 만난 마펫박사는 그가 소장하고 있던 토마스에 관한 모든 자료를 필자에게 내어주는 것이 아닌가. 그 자료는 그의 아버지 마포삼열(麻布三悅 S. A. Moffett)선교사로부터 인계받은 것과, 교회사가인 그 자신이 수집한 자료들이 포함된 것인데, 적잖은 분량이었다. 그 진귀한 자료들을 선선히 내어주시다니! 그의 그런 모습은 순례길 나그네의 마음에 큰 위로와 감동을 안겨주었다. 그런데 바로 그 자료 속에서 토마스의 후손을 찾을 수 있는 단서(端緖)를 포착하게 될 줄이야. 아버지 마포삼열목사는 평양에서 선교사역을 하면서 제너럴셔먼호 사건과 토마스의 죽음을 확인하게 됐으며, 망각 속에 묻혀있던 토마스를 역사무대에 내세워 조명을 받게했던 공로자. 그는 토마스의 순교정신을 한국교회가 계승하도록 1927년 '토마스목사순교기념회' (Thomas Memorial Association)를 결성, 초대회장에 취임했고, 총무였던 오문환장로와 함께 묻혀있던 토마스에 관한 자료를 발굴 수집하며 전도활동을 펼쳤던 것이다. 기념회는 그들의 활동을 수시로 영국에 있는 토마스의 가족들에게 알렸고, 가족들 역시 기념회의 선교활동에 헌금으로 돕는 등 적극적으로 후원했던 것이었다. 바로 그 당시 주고 받았던 편지 속에 토마스 가족의 주소가 적혀있는 것이었다. 물에 빠진 사람이 지푸라기라도 부여잡는다는 것이 이런 심정이었으리라. 바로 그 편지 속에 적혀있는 그 주소에 편지를 띄웠다. 그것은 마치 드넓은 우주 공간의 외계인을 향해 전파를 발사하고 있는 것과 같은 것 아닐까. 반년쯤 지났을까, 답신이 왔다. 내가 보낸 편지의 수신인은 오래전에 별세했고, 그 후손들이 수소문되면 직접 연락이 가도록 해주겠다는 친절한 사연이었다. 가슴 설레이는 기다림이 시작됐다. 다시 반년쯤 지났을까. 마침내 기다리던 소식이 날아들었다.

> 경애하는 고무송목사님께
> 저는 고목사님께서 찾고계시는 토마스목사님의 손녀입니다. 저의 작은 할아버지 토마스목사님에 관해서 선교신학박사 논문을 쓰고 계시는 데에 대해 경의를 표하며 후손을 대표하여 감사의 말씀을 올려드립니다. 토마스목사님에 관한 자료 일체를 제가 가보로 보존하고 있으며, 고목사님께서 연구에 필요하시다면 기꺼이 제공해 드리고자 합니다. 삼가 고목사님의 귀한 연구에 좋은 열매 거두시기를 기원합니다.
>
> 엘리자베스 한(Elizabeth Hann) 올림

이렇게 해서 토마스목사의 후손을 찾게 됐으며, 그녀가 소장하고 있던 토마스목사에 관한 자료일체가 필자의 손에 넘어오게 된 것이었다. 바로 그 자료들이 나의 논문의 1차사료로써 진가를 발휘하게 된 것은 물론이거니와, 때마침 한국기독공보 창간50주년기념 기획시리즈를 통해 이 귀한 자료들과 함께 토마스 목사의 생애와 선교사역의 발자취를 추적, 숨은 뒷이야기를 보다 상세하게 밝힘으로써 그를 새로운 시각으로 조명하게 된 것은 하나님의 예비하심과 오묘한 섭리인줄 믿고 감사를 드리며, 삼가 독자 여러분의 성원과 협조를 기대해 마지 않는 바이다.

토마스 목사의 후손인 손녀 Elizabeth Hann 여사와 함께

Chapter 02

토마스목사와의 만남

부모로부터 들었던 토마스순교

아주 어린시절, 필자는 부모님으로부터 토마스목사가 평양 대동강 변에서 어떻게 최후를 맞았는지 귀에 못이 박히도록 들으며 자랐다. 그것은 마치 신화와 전설 같은 이야기였으며, 그 이야기 속에 등장하고 있는 주인공은 영웅(英雄)이요 초인(超人)이었다. 조금 커서, 주일학교 선생님으로부터 듣게되었던 토마스 역시 그러했다. 조금 더 커서, 교회 전도사님이나 목사님들의 설교 속에서 듣게되는 토마스 또한 그러한 인물이었다. 토마스에 대한 한국교회 최초의 공식기록이라 할 수 있는 1928년 발행 조선예수교장로회 사기(史記) 첫 페이지가 이를 웅변으로 증명해 주고 있음을 보게된다.

> 지구 동쪽 끝에 위치하고 있는 조선은 본시 외부세계와 단절되었고, 접촉을 원치 않음으로써 기독교를 배척, 복음을 받아들일 수 없게 되었다. 그러나 자비로우신 하나님은 조선민족을 사랑하셔서 서양으로부터 복음(福音)의 전령(傳令)을 보내주셨으니, 그가 바로 토

마스목사인 것이다.

토마스가 최후를 맞았던, 어딘가 그의 뼈가 묻혀있을 평양, 바로 그 땅에 뿌리를 내리고 있는, 필자가 몸담고 있기도 한 대한예수교장로회 평양노회. 그 평양노회사(平壤老會史)는 보다 극적인 사실을 담고 있다.

> 반가운 얼굴, 간절한 표정으로 머리를 굽실거리면서 나졸들에게 성경책을 받으라고 권할 때에 나졸은 번쩍거리는 칼로 토마스목사의 목을 베려하였다. 목사가 두손을 모두어 "예수! 예수!"하며 기도할 때에 그들의 칼은 목사의 목에 닿았고, 그 목이 땅 위에 떨어져 굴렀다. 목사의 목에서 선지와 같은 피가 흘러나올 때에 그는 "예수! 예수!"하며 숨졌다. 아, 장하다, 하나님의 젊은 사자여! 그는 아무 것도 모르는 무지한 백성에게 목 베어짐으로써 몸은 대동강변에서 죽었으나, 스데반의 영혼을 기쁘게 받으신 우리 구주 예수님은 젊은 선교사 토마스목사의 영혼도 기쁘게 받으셨다.

한국개신교 최초의 순교자

얼마나 장렬한 최후런가. 그는 역시 이 땅의 그리스도인들 마음 속에 개신교 '최초의 순교자'로 각인(刻印)될 수 밖에 없는 필요충분조건을 골고루 갖추고 있는 우리들의 '영웅'일 수 밖에 없는 존재였다. 사실 한국교회는 1932년 토마스목사의 순교를 기념, 그가 최후를 맞았던 대동강 봉래도(蓬萊島)가 내려다 보이는 강 언덕에 토마스목사순교기념예배당을 건립, 그의 죽음을 기렸다. 대학에서 역사를 전공했던 필자가 굳이 졸업논문의 주제를 그가 타고 왔던 제너럴셔먼호 사건을 택하게 됐던 것도, 아니 당초 역사를 전공하게 됐던 것도, 사실 한국교회가 추앙했던 토마스목사의 생애를 보다 깊이 연구해보고자 했던 마음의 표현이었을 것이다.

필자가 뒤늦게 신학에 입문하면서, 토마스의 인생과 선교사역은 한국교회 역사와 세계선교신학적 차원에서 필자에게 새롭게 다가왔으며, 영국유학 길은 결국 토마스의 뿌리를 찾아 그의 고향으로 향한 순례의 발걸음이기도 했던 것. 그때 필자의 가슴에 모닥불처럼 간직하고 있었던 토마스 탐구에 대한 불씨에 다시금 불을 지펴주었던 또 하나의 불씨, 그것은 토마스목사의 한국선교에 대한 재평가(再評價)문제였던 것이다.

> 아무튼 토마스목사가 상당히 비참하게 돌아가신 것이 사실이지만, 이것만 가지고 역사에서 그가 위대하다는 얘기는 할 수 없다. 또 제너럴셔먼호사건 자체도 그 배의 입국목적이나 불법적으로 입국한 경위로 보아 성스럽다거나 아름다운 것이 아니며, 또 토마스목사도 그 배의 인도자로 왔으니 그다지 높이 평가할 일이 아니라고 본다, (중략) 그리고 그의 죽음이 '순교' 라고 할 수 있겠는가에 대해서도 한국교회는 이제 정리해 볼 때가 되었다고 생각한다.

이만열교수의 '한국기독교회100년사' 에서 보게되는 문제제기. 이것은 필자의 토마스를 향한 탐구순례(探求巡禮 Research Pilgrimmage)를 더 이상 지체할 수 없도록 재촉하게 만든 결정적인 촉매제(觸媒劑)가 되었던 것이다.

토마스 목사 순교 기념교회(평양 대동강변)

미완성교향곡

한국교회100년, 그 역사 가운데 토마스목사는 '개신교 최초 순교자' 로서 우리들 마음과 신앙의 고향이었다. 그랬던 그가 선교2세기로 접어들면서 그의 '순교자' 로서의 위상(位相)은 한국교회 내부로 부터의 저항에 휘말려 있고, 외압(外壓) 또한 만만찮은 게 사실이다. 북풍(北風)이 매섭다. 무슨 얘긴가 하면, 영국에는 한국학(韓國學)을 개설해 놓고 있는 대학교가 몇 있는데, 그 가운데 한국에서 오랫동안 선교사로 사역했던 그레이슨 교수(Prof. Dr. J. Grayson)가 학과장으로 봉직하고 있는 셰필드대학교가 여러 면에서 충실하다 하겠다. 그들은 한국으로부터 좋은 자료들을 많이 수집해놓고 있는데, 그 가운데엔 북한으로부터 입수한 자료도 포함돼 있다. '조선전사' (朝鮮全史 과학백과사전

출판사 1980)는 북한의 대표적인 역사서술이라 할 수 있겠는데, 근대편 제2장 제1절에서 이렇게 진술해 놓고 있음을 본다.

> 이때 미국침략자들의 특무로서 최란헌이란 조선사람의 이름을 가지고 미국선교사 로버트토마스란 놈이 통역으로 나서서 우리나라의 내부 형편을 탐지하기 위해 평양의 지형은 어떤가, 성문이 있는가 없는가, 보물은 많은가 등 각종 질문을 하는 것이었다. (중략) 바로 이러한 때 김응우선생님의 지도 밑에 인민들은 결사대를 조직하였다. (중략) 결사대원들의 화공전(火攻戰) 앞에서는 적의 방화용 그물도 소용없게 되었다. 불은 가증스러운 샤만호의 본체에 붙기 시작하였으며, 삽시에 삼단 같은 불길이 일면서 마침내 화약고가 폭발하는 요란한 폭음이 일어났다.

야누스(JANUS)의 얼굴

위의 기록들은 상세한 지도와 도표가 곁들여 있고, '평양인민들이 미국 무장해적선 샤만호를 대동강에 쳐넣고 빼앗은 대포와 닻줄' 이란 설명이 붙은 사진들도 첨부돼 있다. 토마스의 국적이 영국임에도 '미국선교사' 로 불리고 있다는 점, '김응우선생님' 이 바로 김일성의 증조할아버지라는 표현 등은 더 깊이 살펴보아야 할 연구과제이거니와 토마스에 대한 부정적인 견해는 그리피스 교수(W. E. Griffis)의 '은둔국 조선' (隱遁國朝鮮 Corea, the Hermit Nation)에서도 보여진다.

> 상선임에도 중무장을 하고 있었다는 사실 때문에 샤만호의 항해는 의심스러운 것이었다. 뿐만 아니라 그 당시 중국에선 여러 세기동

안 도읍지였던 평양성엔 왕들의 무덤이 많이 있고, 그 무덤 속엔 금괴(金塊)가 들어있다는 소문이 돌고 있었기 때문이다.

'순교자' 와 '영웅' 으로부터 급전직하 '해적선의 길잡이' 요 '제국주의 앞잡이' 로 곤두박질을 치게 된 토마스목사. 그는 과연 로마 신화에 등장하고 있는 두개의 얼굴을 가진 야누스(Janus)라는 말인가. 그러기에 토마스목사의 진면목을 그려내기 위한 필자의 순례여정은 시공을 초월, 동서양을 넘나드는 순례의 발걸음일 수 밖에 없었던 것이다. 그러나 그가 불나비처럼 조선땅에 찾아들어 짧디 짧은 27살의 젊은 생애를 마감해야 했던 평양 영문밖 대동강변, 그곳은 지금은 찾아갈 수 없는 금단의 땅. 그러기에 필자의 순례 발걸음은 아직 종착역에 이르지 못했으며, 나의 선교신학 박사학위 논문 역시 미완의 장(章)에 멈춰 설

평양 대동강변 을밀대에서

수 밖에 없는 것이다. 문득 슈베르트의 교향곡 제8번 '미완성'(Symphony No.8 in b minor 'Unfinished' D.759)를 떠올리게 된다. 언제 거기 그 땅을 찾아가 미완의 논문을 완성해 볼 수 있을 것인지? 토마스를 삼켜버린 너, 한 많은 대동강이여! 토마스를 품어 잠재우고 있는 너, 평양성이여! 아, 통일이여 어서 오라, 통일이여 오라!

평양 대동강변(1930년대)

Chapter 03

토마스목사의 삶과 죽음

토마스의 뿌리를 찾아

토마스선교사가 소속돼 있던 런던선교회(LMS: London Missionary Society)에서 창립1백주년기념으로 발간한 '선교사인명록' (1896년 간행)에는 등록번호 No.599호로 토마스목사가 등재돼 있고, 거기 그에 관한 인적사항이 간략하게 나타나 있다. 그에 따르면 토마스는 1840년 9월 7일 영국 웨일즈 라드노셔 라야더 출생으로 등재돼 있다.(East Street, Nowith, Rhayader, Brecon & Radnorshire, Wales, Great Britain)

필자는 토마스의 뿌리를 찾아 먼저 그의 출생에 대한 확인작업에 나서기로 했다. 그러나 1백50년이 지난 세월 속에 그에 관한 기록이 남아있을 것인가, 의구심을 떨쳐버릴 수가 없었다는 것이 솔직한 심정이었다. 아닌게 아니라, 그의 고향에서는 그의 흔적을 찾을 수 있는 아무런 근거도 남아있지 않았다. 10년이면 강산이 변한다 했던가. 그건 동서

토마스가 유년시절을 보낸 마을 풍경

고금 똑같이 적용될 수 밖에 없는 것 아니겠는가? 더욱이나 그가 태어났던 19세기초 영국은 산업혁명으로 인하여 농업사회가 급격히 산업사회로 변화를 추구했던 전환기 아니었던가. 순례길에 나선 나그네의 마음이 그토록 허허로울 수가 없는 것이었다. 뿌리를 찾지 못하고 그저 줄기나 더듬어서야 어찌 온전한 토마스의 실체를 밝혀낼 수 있겠는가?

필자는 젊은날 언론계에 몸 담아 사건이나 인물의 실체를 찾아 전국 방방곡곡은 물론 해외출장에까지 나섰던 경험을 되살리기로 했다. 또한 지도교수 우스토프박사의 적극적인 격려도 큰 힘이 되었다. 그는 아프리카에서 민족교회를 연구, 박사학위를 취득했던 노하우를 유감없이 발휘, 구체적으로 필자의 논문을 지도해 주었다. 또한 영국은 우리와 다르게 영토 안에서 극심한 전쟁을 치르지 않았던 역사적 배경을 지니고 있어 문서기록의 보존상태가 양호할 것이라는 생각도 하게됐다.

CERTIFIED COPY OF AN ENTRY OF BIRTH
COPI DILYS O GOFNOD GENEDIGAETH

GIVEN AT THE GENERAL REGISTER OFFICE, LONDON
FE'I RHODDWYD YN Y GENERAL REGISTER OFFICE, LONDON

Application Number / Rhif y cais: B010312

REGISTRATION DISTRICT / DOSBARTH COFRESTRU: Rhayader

1839 BIRTH in the Sub-district of / GENEDIGAETH yn Is-ddosbarth: Rhayader in the / yn Counties of Brecon & Radnor

Columns: / Colofnau: No. / Rhif	1 When and where born / Pryd a lle y ganwyd	2 Name, if any / Enw os oes un	3 Sex / Rhyw	4 Name and surname of father / Enw a chyfenw'r tad	5 Name, surname and maiden surname of mother / Enw, cyfenw a chyfenw morwynol y fam	6 Occupation of father / Gwaith y tad	7 Signature, description and residence of informant / Llofnod, disgrifiad a chyfeiriad yr hysbysydd	8 When registered / Pryd y cofrestrwyd	9 Signature of registrar / Llofnod y cofrestrydd	10* Name entered after registration / Enw a gofnodwyd wedi cofrestru
54	7th September 1839 at East Street in the Town of Rhayader	Robert Jermain	Boy	Robert Thomas	Mary Thomas formerly Williams	Minister Amongst Independents	Robert Thomas Father East Street	12th of September 1839	David Evans Registrar	

CERTIFIED to be a true copy of an entry in the certified copy of a Register of Births in the District above mentioned.
TYSTIOLAETHWYD ei fod yn gopi cywir o gofnod mewn copi y tystiwyd iddo o Gofrestr Genedigaethau yn y Dosbarth a enwyd uchod.

*See note overleaf
Gweler trosodd

Given at the GENERAL REGISTER OFFICE, LONDON, under the Seal of the said Office,
Fe'i rhoddwyd yn y GENERAL REGISTER OFFICE, LONDON, o dan Sêl y Swyddfa a enwyd,

the 16th day of March 19 92
y dydd of fis

WBXZ 004170

CAUTION:- It is an offence to falsify a certificate or to make or knowingly use a false certificate or a copy of a false certificate intending it to be accepted as genuine to the prejudice of any person or to possess a certificate knowing it to be false without lawful authority.

RHYBUDD:- Y mae'n drosedd ffugio tystysgrif neu gwneud neu'n fwriadol i ddefnyddio tystysgrif ffug neu copi o dystysgrif ffug gan fwriadu iddi gael ei derbyn fel un ddilys gan ragfarnu unrhyw berson, neu i fod yn berchen tystysgrif gan wybod ei bod yn ffug heb ganiatad cyfreithlon.

토마스 출생 신고서

마침내 필자의 안테나에 단서 하나가 포착됐다. 그것은 바로 대영제국등기소(The General Register Office of the United Kingdom)였다. 영국국민들의 출생, 사망, 혼인신고서를 보존하고 있는 정부문서 보관소인 것이다. 설마? 했는데, 역시나! 였다. 놀랍게도 150년도 더 지난 토마스의 출생, 결혼신고서가 말짱하게 보존돼 있는 것 아닌가.

벅찬 가슴을 안고 찾아간 필자에게, 그러나 토마스의 뿌리는 쉽사리 드러나지 않는 것이었다. 런던선교회(LMS) 공식기록에 나타나 있는 1840년도 출생자 명부를 아무리 뒤적여도 토마스에 관한 기록을 찾을 수 없는 것 아닌가. 웬일일까? 젊은날 기자와 프로듀서로 활동했던 언론인의 직관이 불현듯 뇌리를 스치는 것이었다 – "혹시 공식기록에도 오류가 있을 수 있는 것 아닐까?" – 검색범위를 확대하기로 했다. 아니나 다를까, 토마스의 뿌리가 걸려들었다. 토마스의 출생연도는 1840년

이 아니고 1839년이었다. 공식 역사기록의 오류를 바로잡게 되는 순간이었다. 출생신고서 발부를 신청, 영국정부가 발행한 그의 정확한 출생기록을 입수하게 된 것이다 – Robert Jermain Thomas, September 7th 1839.

가계도(家系圖 Family Tree)

무릇 뿌리를 찾음은 결국 그 뿌리에 연(緣)해 있는 몸통을 찾음이요, 그리하여 마침내 가지와 잎사귀와 꽃과 열매로 이어지는 한 그루의 나무를 찾아내게 된다는 것 아니겠는가. 출생신고의 발굴은 또한 거기 기

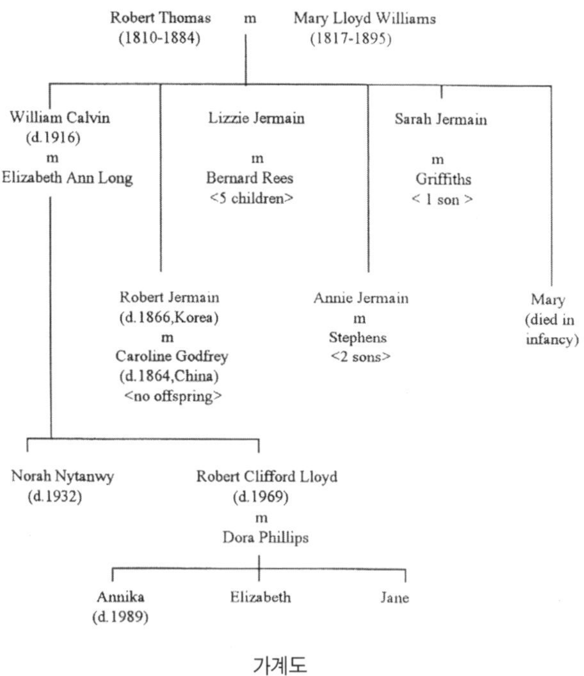

가계도

록돼 있는 사람들을 찾을 수 있는 단서(端緖)를 마련하게 된다는 것. 그러기에 우리들이 흔히 쓰고 있는 '가계도'(家系圖)라는 표현을, 그들은 '가족나무'(Family Tree)라고 부른다. 그 가족나무는 토마스를 전인적(全人的)으로 이해할 수 있는 필수적 자료 아니겠는가. 이를 통해 토마스는 아버지(Robert Thomas 1810-1884)와 어머니(Mary Lloyd 1817-1895) 사이 6남매 가운데 둘째 아들로 태어났고, 수소문 끝에 극적으로 찾게되었던 엘리자베스 한 (Elizabeth Hann)은 토마스 큰형(William Calvin)의 손녀라는 사실도 확인할 수 있게 된 것이다.

1848년, 토마스는 그의 나이 9살되던 해에 목사인 아버지를 따라 웨일즈 남부에 있는 아름다운 마을 하노버(Llanover:웨일즈 표기, 영어로는 Hanover)로 이사하게 된다, 아버지가 그 동네 하노버교회 담임목사로 청빙을 받은 것이다. 아버지는 36년동안 그 교회를 시무했고, 그의 나이 74세에 은퇴할 때까지 담임목사로서 그 교회를 섬겼다. 그러니까, 그 아버지에게 있어 가장 기뻤던 날은 아들 토마스가 목사안수 받던 날이요, 가장 즐거웠던 날은 그 아들이 장가가던 날이요, 가장 보람있었던 날은 아들 토마스목사가 중국에 선교사로 파송되던 날이요, 가장 비통했던 날은 자랑스런 그 아들 토마스목사가 복음 들고 조선땅에 들어갔다가 죽임을 당했다는 비보가 날아들었던 날이었으리라. 토마스목사가 조선땅에서 순교한 것이 1866년이니까, 그의 아버지는 아들의 순교소식을 들은 이후로도 18년동안 그 교회를 지키고 있었다는 계산이 된다. 자식은 땅에 묻는 것이 아니라 부모의 가슴에 묻는 것이라 했던가. 비록 자식이 선교사로 헌신(獻身)했다고 하지만 부모의 마음엔 한 순간인들 그 아들의 모습을 가슴속에서 지울 수 있었겠는가.

하노버 교회 뜨락에 세워져 있는 묘지석(Wilson 장로와 함께)

더욱이나 그 아들의 주검도 수습하지 못했음에랴. 하노버교회 앞 뜨락엔 부모의 묘소는 있지만, 아들 토마스의 묘소는 없다. 있을 수 없지 않은가. 아들을 삼켜버린 조선땅 평양, 그곳은 그 어디메인가? 토마스를 기리는 하노버교회 강단 대리석 추모석판엔 비가(悲歌) 한 구절이 새겨져 있구나.

> 나의 기운이 쇠하였으며 나의 날이 다하였고
> 무덤이 나를 위하여 예비되었구나 (욥기17장1절)

지금 하노버교회 뜨락엔 토마스의 부모묘소는 있으나 아들 토마스의 묘소는 없다. 평양 대동강변에서 참수형으로 부름받은 그의 주검은 어디쯤 묻혀, 두고 온 고향을 그리고 있을 것인가. 이제 불귀(不歸)의 객(客)이 된 아들의 귀환을 기다려야 했던 아버지의 18년 기다림의 세월도 하루가 천년 같은 하늘나라 시간 속에 그것은 남가일몽(南柯一夢)

일 수 밖에 없는 것이었고, 앞서거니 뒤따르거니 그들 모두 이 땅을 떠난 세월 또한 100년이 넘었으니, 하루가 천년 같은 천국의 시간 속에선 그 세월 또한 수유(須臾)런가.

순례길 이방 나그네는 하노버교회 뜨락에 서서, 그 숱한 묘지석을 어루만지며 상념의 나래를 펼쳐야 했다 – 이 땅에 잠시 나그네로 왔다가, 또한 잠시 머물다 갈 수 밖에 없는 초로인생(草露人生)이여, 그러기에 우리 모두는 어쩔 수 없는 그 나라를 향해 나아가는 순례자 아니겠는가. 사랑하는 토마스 목사 혈육들이여, 이제는 아픔도, 이별도, 그리고 눈물도 없는 그 나라에서 영생복락(永生福樂) 누리실지어다. 아멘!

토마스목사에 대한 연구

토마스목사의 삶은 생전(生前)에도 형극의 길이요 고난의 연속이었는데, 사후(死後) 역시 빛과 그림자가 교차하는 '두 얼굴' 의 인물로 아직도 정설(定說)로 정착하지 못한 채 논란의 대상으로 회자(膾炙)되고 있는 형편임에랴. 그것은, 우리 땅에서만 그런 것이 아니라 그가 몸 담았던 파송선교단체인 런던선교회(LMS) 안에서 조차 마찬가지. LMS 선교역사 어느 기록에서도 그의 출생과 성장 등 그의 생애에 대한 충실한 언급은 거의 찾아볼 수 없는 형편이다. 다만 토마스선교사에 관한 기록 가운데 가장 권위있다 할 '런던선교회100년사' (History of LMS 1795-1895) 1천5백 페이지에 달하는 방대한 분량의 책속에 선교사 토마스에 관한 기록이 게재돼 있다. 그런데 그 기록마저 단 한 문장으로 지극히 짧게 요약돼 있고, 그마저 아주 부정적이요, 불명료하게 기록돼 있음을 보게된다.

> 1866년, 토마스(R. J. Thomas, B.A.)는 사역을 위해 임지인 수도(중국 북경)에 정착하려고는 아니하고 조선 항해중 익사한 것으로 추정됨. (In 1866 R. J. Thomas, B.A. was appointed, but never settled down to work in the capital, and is supposed to have been drowned while on a voyage to Corea.)

런던선교회(LMS) 사서(司書) 프레처(J. M. Fletcher)는 토마스를 아예 '말썽꾸러기 선교사'(The Naughty Missionary)라고 표현하기도 했다. 그러나 우리 땅의 교회역사학자들은 토마스목사에 대해서 보다 성실하게 접근하려 했던 것을 보게된다. 대표적인 교회사가 백낙준박사가 그런 입장이다. 그는 '한국개신교 선교사의 역사'(The History of Protestant Missionary in Korea 1832-1910) 초판본(1927년)에서 토마스목사를 가리켜 '스코틀랜드(Scotland) 출신'이라 했고, 그가 스코틀랜드 에딘버러의 뉴칼리지를 졸업했다고까지 기록해 놓았다. 그러나 토마스가 졸업한 뉴칼리지는 그 당시 런던에 소재했던 신학교였던 것이다. 이 같은 오류에도 불구하고 백박사는 토마스목사에 관해 종합적인 연구기록을 남긴 최초의 역사학자라고 할 수 있겠다.

토마스목사에 대한 보다 체계적인 연구는 민경배교수에 의해 이뤄지고 있다. 그는 1970년 런던대학교에서 연구하는 동안 토마스에 관한 자료를 발굴, 그의 저서 '교회와 민족' 가운데 '로버트 토마스: 한국초기선교사의 한 유형과 동서교섭의 문제'라는 제목으로 36면에 걸친 논문을 발표하고 있음을 본다. 그는 이 논문 속에서 자신이 런던에서 관계자료를 발굴, 정정할 때까지 그 같은 백낙준박사의 오류가 무려 40여년동안이나 정설로 통용되어왔다고 밝혀놓고 있다. 그 당시 런던대학교에서 연구하고 있던 민교수는 도서관장의 협조로 토마스목사의 학적부를 고문서 속에서 발견, 비로소 그의 출신 신학교를 밝혀냈으며, 아울러 재학시절의 생활을 소개할 수 있었다. 민경배교수의 토마스목사에 관한 연구는 괄목할만한 연구업적이 아닐 수 없다.

그런데 이들 학자들 보다 훨씬 앞서 토마스에 대한 연구에 생애를 걸었던 인물이 있었다. 그는 오문환(吳文煥)장로였다. 그때 그는 평양 숭의여학교 교사로서 당시 평양에서 선교사로 사역하고 있던 마포삼열(麻布三悅)목사와 함께 '토마스목사순교기념회' (Thomas Memorial Association 약칭 TMA)를 조직, 그를 회장으로 모시고 자신은 총무로서 많은 활동을 하게되는데, 그중 한가지는 토마스목사에 관한 자료를 수집, 일대기를 편찬하는 사업을 전개했던 것. 필자는 그가 1932년 토마스목사에 관해서 발표한 영어논문(The Two Visits of the R. J. Thomas of Korea)을 영국 셰필드대학교 도서관에서 발견할 수 있었다. 이 논문에서 그는 토마스목사가 런던대학교 뉴칼리지를 졸업했다고 밝히고 있다.(at 17 became a student at New College, spending five years there, securing his B.A. at London University.)

'나의 작은 책' (My Little Book)

오문환장로의 논문 가운데 필자의 비상한 관심을 끌게 된 또 다른 부분은, 그가 1928년 이미 토마스목사에 관한 일대기 '나의 작은 책'

(My Little Book)을 한글로 출판했다고 밝혀놓은 대목이었다. (I gave this information in my little book in Korean on his life which I published in 1928.) 그건 또 어떤 책인가? "나의 작은책을 찾으라!" – 나는 나 자신에게 비상을 걸었다. 우선 영국내의 모든 도서관들과 한국학을 개설하고 있는 세필드대학교를 비롯한 런던대학교 및 여러 대학들을 샅샅이 뒤졌다. 없었다. 한글판 최고본(最古本) 성경책을 수장하고 있는 것으로 알려져 있는 대영박물관 도서관까지 저인망으로 훑었다. 그러나 허사였다. 아무래도 국내에서 찾아보리라, 서둘러 귀국길에 올랐다. 국립도서관을 비롯, 기독교대학 도서관들과 사설연구소 장서들까지 망라, 수색했지만 오문환의 1928년판 '나의 작은책'은 꽁꽁 숨어 그 얼굴을 내보이지 않는 것이었다. 지도교수와 주선애교수의 추천서를 들고 미국으로 건너갔다. 동부지역의 유서 깊은 명문대학 도서관들과 고문서보존소(Archives) 등등 혐의(?)가 있는 곳을 찾아 찬찬히 뒤져나갔다. 보스톤대학교, 필라델피아 장로교문서보존소, 예일대학교 도서관 등등.

마침내 찾아냈다. 그 책은 예일대학교 '데이선교도서관'(The Day Mission Library) 깊숙한 서고 속에서 먼지를 뒤집어 쓴 채 숨어있었다. 아니, 갇혀있었던 것이다. 예일대학교에 부설된 이 도서관은 선교신학 부문의 자료만을 수장하고 있는데, 그 규모나 내용면에서 세계적으로 가장 충실한 것으로 알려져 있다. 그럴 수 밖에 없는 것은, 세계적인 선교역사학자 라투렛(K. S. Latourette) 교수가 평생 독신으로 학문에만 정진, 후학들을 길러낸 곳이 바로 이곳 예일대학이요, 그의 사후 그의 도서일체가 이곳에 기증됐다는 것. 필자는 이 도서관의 한국관을 샅샅이 뒤졌다. 그러나 여기에도 없었다. 문득 스쳐가는 생각, 그것

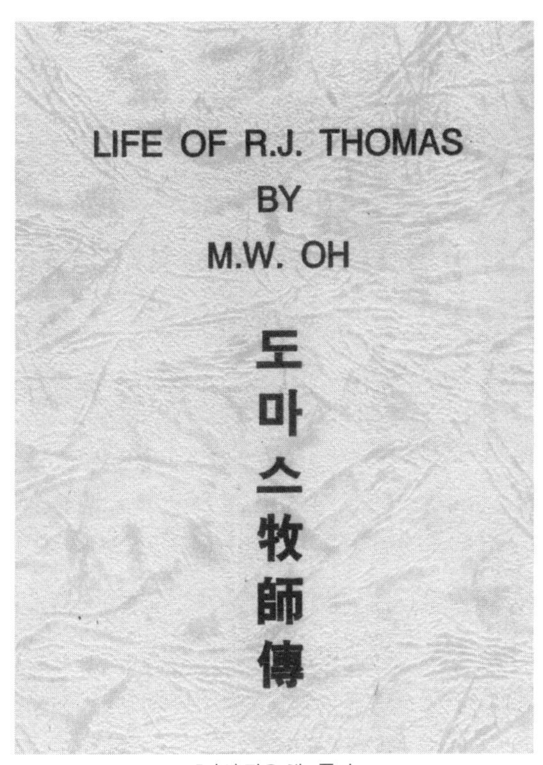

「나의 작은 책」 표지

은 이 책의 출판연도가 1928년이라 했으니, 우리가 일본의 강제침탈을 받고 있던 시절 아니겠는가. 혹여 일본관에 이 작은 책이 묻혀있는 것은 아닐까, 하는 생각이 스쳤다. 아니나 다를까. 일본책 무더기 속에 이 작은책은 갇혀있는 것이었다. 그 책은 무명의 역사학도의 손길로 70여 년만에 '해방'을 맞은 것이다.

도대체 그것은 어떤 책인가? 토마스목사 순교60주년에 즈음해서 순교기념회 총무 오문환장로가 토마스에 관해 최초로 집대성한 단행본으로서, '도마스牧師傳'이라는 제목에 영문 부제(副題)를 달고 있었다 –

Life of R. J. Thomas by M.W.OH.

그것은 참으로 '작은책' 이었다 – 가로13.5cm 세로19.5cm 본문62면 부록23면. 그러나 결코 작지만은 않은, 진귀한 책이었다. 토마스의 생애와 선교사역에 관해 최초로 집대성한 단행본 아닌가. 다음과 같은 머리말로 시작되고 있다.

> 어나누가 生을 願치 안으리오마는 生다웁지못한生은 其價値가업스며 어나누가 死를願하리오마는 死다운死는 도로혀榮光이니 일즉히 主의福音을가지고 新基督敎의宣敎師로서 밟아보지못한 朝鮮江山에와셔 前後兩次의多數의聖經을傳播할뿐아니라 맛참내는 그의貴한生命까지버린 도마스牧師를紀念하는것도 이意味에不外하는것이다
> 過去二年間 本書를 發刊키 爲하야 特히 朝鮮內에서그의남겨둔발자최를 찻노라고 大同江沿岸을 中心삼아 江南江北으로 約六百餘里를 巡廻探訪하엿스며 當時도마스牧師의게 親히 聖經을밧고 親히面談한이로셔 現今의生存한이를 約二百餘人이나맛나보앗다

한알의 밀이 땅에 떨어져

영국 웨일즈 북부지방 라야더(Rhayader)에서 태어나 목회자인 아버지를 따라 웨일즈 남부지방 하노버(Llanover)로 옮겨 어린시절을 보냈던 토마스선교사. 그의 발자취를 따라 시공을 초월, 동서양을 넘나드는 순례길에 오른 필자의 발걸음은, 토마스의 젊은날 꿈이 서려있는 그의 고향산천을 밟으며 자못 경건해지는 것이었다. 이토록 아름다운 마

을에서 자라나 아름다운 꿈을 가꾸었을 토마스. 어찌하여 그대는 조선 땅 평양 대동강변에서 그토록 엄청난 최후를 맞았더란 말인가. 과연 무엇이 그대로 하여금 그런 인생을 살게했더란 말인가. 아니, 스물일곱 젊은날에 죽게됐더란 말인가? 어차피 우리 모두 잠시 머물다 속절없이 떠나야 할 인생이어늘, 그대 한 몸 조선의 제단에 희생제물(犧牲祭物)로 피흘렸음이여, 그대 그 신비로운 삶, 거룩한 죽음! 조선인들에 회자(膾炙)되어 그대의 살신성인(殺身成仁) 순교의 삶을 기리는 것이어늘! 그대의 발자취를 따라 순례의 길을 떠나온 이방 나그네는, 그대의 젊은 꿈 서려있는 그대 고향교회 뜨락에 서서 주의 말씀 한 구절을 마음 깊이 새기노라.

> 내가 진실로 진실로 너희에게 이르노니 한알의 밀이 땅에 떨어져 죽지 아니하면 한알 그대로 있고 죽으면 많은 열매를 맺느니라.
> (요한복음12장24절)

토마스목사의 최후(그림 김성환 화백)

Chapter 04

토마스를 향한 선교에의 부르심

신학수업

토마스의 초기교육에 관해선 소상하게 밝혀진 사실이 별로 없다. 그에 관한 자료가 많이 남아있지 않기 때문이다. 1896년 발간된 런던선교회(LMS) 선교사인명록엔 신학교육에 관해서만 언급돼 있을 뿐이다—런던뉴칼리지 수학(Student at New College, Lonon). 토마스의 고향 웨일즈지방 향토지에서 겨우 그의 신학수업 이전 교육사항에 대해 짐작해 볼 수 있는 단서를 발견하게 되는데, 그것도 아주 단편적인 것이다. 이에 따르면, 토마스는 웨일즈 소재 란도베리대학(Landovery College)에서 3년동안 공부했고, 노샘프튼셔(Northamptonshire) 운들(Oundle)에 있는 알프레드 뉴즈학교(Alfred Newth's School)에서 교감으로 봉직한 경력의 소유자로 밝혀지고 있다. 현재 이들 학교들이 남아있질 않고, 그래서 정확한 연대를 고증하기란 쉽지 않은 형편이다. 아무튼 그가 교직에 몸담았던 운들이라는 마을은 그의 생애 가운데 중요한 의미를 갖게 된다. 토마스목사의 아내가 바로 이곳 출신이기 때문이다. 토마스가 청운의 꿈을 안고 런던으로 진출, 뉴칼리지신학교에 도전하게 된 것은 그의 나이 16살이던 1855년의 일. 그러나 그의 꿈은 단번에 성취되질 않는다. 연령미달로 입학이 거절된 것이다. 낙향거사(落鄉居士)가 된 토마스. 비록 신학교엔 낙방했으나 고향교회에서 첫 설교를 하게 되는 영광을 얻게된다.

> 설교본문: 예수 그리스도는 어제나 오늘이나 영원토록
> 동일하시니라 (히브리서13장8절)

1995년 12월 17일, 필자는 토마스목사를 주제로 한 논문으로 선교신학박사학위(PhD) 수여식을 가졌고, 바로 이튿날, 하노버교회 주일아침예배에 가족들과 함께 참석, 그 교회 교인들의 협조에 감사했으며, 토마스목사와 똑 같은 본문으로 바로 그가 섰던 그 강단에서 설교할 수 있는 영광을 얻게되었다. 실로 140년만의 일이었다. 학위수여 축하와

하노버 교회에서 교인들과 함께

함께 논문증정예배를 드리는 영광을 누리게 된 것이다. 그동안 내조하느라 수고한 아내와 삼남매 그리고 한국으로부터 박사학위 취득 축하차 방문한 어머니와 친지들까지 참석한 자리였다. 우리 가족들 숫자가 교인들 숫자와 거의 맞먹는 것이었다. 순회목회자 해리스목사(Rev. Dr. Glyndwr Harris)는 이 논문이 "영국교회와 한국교회를 잇는 사랑의 무지개"라고 격려해 주었다. 하노버교회 낸시 윌슨장로는 그녀의 가족들이 손수 제작한 나무상자에 그 논문을 보존, 강단에 전시해 놓았다. 쑥스러운 일이지만, 교인들의 사랑에 감사하는 마음이다. 나의 생애 가운데 그런 영광이 어디 있겠는가. 그 교회는 필자를 토마스목사에 이어 다시 한국에 선교사로 파송하는 의식도 베풀어주었다. 웨일즈 하노버교회(Llanover Church), 결코 잊을 수 없는 고마운 교회가 아닐 수 없다.

부르심에 대한 응답

1856년, 웨일즈 출신의 토마스는 마침내 소원하던 런던에 유학, 뉴칼리지신학교에 입학하게 된다. 당시 사정으로는 웨일즈에서 런던에 유학하게 되는 것은, 시쳇말로 '개천에서 용났다'는 소리를 들을 법한 일이었다. 그러나 토마스의 신학교 생활은 그리 순탄한 것만은 아니었다. 지금도 그 당시 학적부가 런던 소재 '윌리엄스박사도서관'(Dr. Williams' Library)에 보존돼 있는데, 무려 17회에 걸쳐 그에 관한 기록이 나타나 있는 것을 보게된다. 예컨대, 웨일즈지방에서 어느 교회를 돌보는 목회를 위해 일방적으로 휴학을 통고하기도 하고, 교수회의 동의없이 학사학위(BA)를 청구하는가 하면, 선교사 파송을 위해 조기졸업을 요청하기도 해서 교수들을 난처하게 만들기도 한다. 학적부 기록을 통해 그려지는 그의 모습은 복음에 대한 열정이 매우 강했으며 진취적인 것으로 보여지고 있다. 그러나 다른 한편 모험심이 강하고, 안정성이 아쉬운 편이며, 약간은 조급한 성격과 함께 엘리트의식이 강했던 것으로 여겨진다. 다분히 들떠있는 것처럼 보여지는 그의 신학수업에도 불구하고 그의 선교에 대한 소명은 남다른 것이었으며, 뉴칼리지신학교는 그의 선교에의 꿈을 잉태시킨 보금자리라고 할 수 있겠다. 그는 선교후보자 지원서에 선교동기와 소명감을 이렇게 표명하고 있다.

> 나는 지난 5년동안 선교사가 되고자 하는 꿈을 꾸어왔다. 뉴칼리지를 방문한 선교사들의 현지 선교보고와 그들과의 교제는 나의 꿈을 현실로 만들었다.

그는 당시 아프리카와 태평양지역에서의 활발했던 선교활동에서 방향을 선회하여 동양의 인도와 중국을 향한 선교의 붐에 휩싸여 있던 런던선교회(LMS)의 열기에 묻혀 아예 중국선교를 자신의 '의무'(duty)라고 여길 정도였다. 그리고 선교의 가장 효과적인 무기는 '언어'(language)라고 규정했다. 그리하여 토마스는 일찍부터 헬라어 히브리어를 비롯한 성서언어들은 물론 유럽의 거의 모든 언어들을 마스터했으며, 놀라운 사실은 이미 중국어를 학습했던 것이다. 그는 언어에 있어 특별한 은사의 소유자였던 것으로 여겨진다. 그런가 하면, 선교사로 중국에 파송을 받자마자 곧바로 현지인들과 중국어로 소통하고 중국어(표준어 만달린)로 설교를 할 수 있었다는 사실이 이를 말해주고 있다. 그뿐 아니라, 토마스는 선교에 있어 의술(醫術)은 필수불가결 요

하노버교회 해리스목사에게 논문을 증정하는 필자

소라고 판단, 신학교 재학중에 워터만 박사((Dr. Waterman) 지도아래 18개월동안 기초의술을 습득하기도 했다. 이러한 사실들은 아직껏 밝혀지지 않았고 숨겨져 있었던 토마스목사의 선교를 향한 특별한 열정이었다는 사실로 확인되는 부분이다. 우리 선교사 지망생들이 타산지석(他山之石)으로 삼아야 할 중요한 참고사항 아니겠는지.

졸업과 결혼

1863년5월, 토마스는 뉴칼리지신학교를 졸업하게 된다. 휴학기간을 포함, 무려 7년만에 찾아온 영광이었다. 그는 신학교로부터 졸업생 가운데 성적이 우수하고 선교사로 나아가는 졸업생들에게 주어지는 장학금을 두개씩이나 지급받게된다. 밀장학금(Mill Scholarship)과 셀윈기금(Selwyn Fund)이었다.

졸업과 함께 토마스에게 안겨진 또 하나의 축복, 그것은 결혼이었다. 1863년5월29일, 토마스는 캐롤라인 고드프리(Caroline Godfrey) 양과 결혼식을 올린다. 필자는 대영제국등기소에서 이들의 결혼신고서를 발견, 초본을 발급받게 되었다. 이 결혼신고서에 따르면, 토마스는 결혼 당시 24살이었고, 그의 아내 캐롤라인은 26살로 2년 연상이었음을 알게 된다. 그와함께 토마스의 장인 존 고드프리(John Godfrey)는 운들(Oundle)에 거주하는 농장주(farmer)였음이 밝혀지면서, 결혼의 베일이 조금 벗겨지는 것 같다. 이미 살펴본대로, 토마스는 한때 운들에서 교편을 잡았던 일이 있었는데, 그때 그곳 지주의 딸이었던 캐롤라인과 교제, 결혼에 골인하게 된 것 아니겠는가. 바야흐로, 시절은 기화요초가 만발하고 녹음이 흐드러지게 우거져 꽃보다 더 아름답다는 녹음방초승화시(綠陰芳草勝花時). 아름다운 남부 웨일즈 하노버교회 뜨락에 초례청이 차려진 것이다. 신랑 토마스 군과 신부 캐롤라인 양이여, 그대 귀한 새가정에 주의 축복있을찌어다!

목사안수와 선교사파송

1864년6월4일, 토마스는 24세의 젊은 나이로 목사안수를 받게된다. 그의 고향 하노버교회에서 있었던 경사였다. 런던에 유학, 신학교를 우수한 성적으로 마치고 장학금과 선교지원금까지 획득한 토마스에게 목사안수는 각별한 의미가 있는 것이었다. 이 마을 이 교회 출신 토마스가 아버지의 대를 이어 목사로 기름부음을 받는다는 사실. 아담하고 고즈넉한 하노버교회는 집례자 목사들과 축하객들로 초만원을 이루었을 것이다. 현재 교회당의 규모가 70명 남짓 착석할 수 있는 규

불귀(不歸)의 객(客)이 된 토마스를 떠나 보낸 런던 테임즈 강변

모인데, 개축 이전 교회당의 규모는 그 보다 작았을 것 아니겠는가. 아버지 로버트 토마스목사 역시 아들의 안수식에서 그 아들의 머리에 안수하게 됐을 것이니, 목사 대물림의 그 기쁨과 감격 어찌 다 헤아릴 수 있었으리요. 그것은 그가 결혼식을 올리고 나서 한 주일만의 일이었다. 화불단행(禍不單行)이라는 말이 있다. 화는 혼자 오지 않는다는 뜻이렷다. 그런데 이거야말로 복불단행(福不單行)이라 할 것이다.

1863년 7월 21일, 토마스목사는 아내와 함께 런던선교회 하노버교회에서 중국선교사로 파송, 실로 위대하고도 원대한 장도(長途)에 오르게 된다. 결혼식을 올린지 17일만의 일이다. 모든 것이 전광석화(電光石火) 처럼 진행되고 있다. 토마스의 졸업일이 1963년5월, 일자는 불명이지만 바로 5월29일 결혼식을 올렸고, 결혼 6일만에 목사안수를 받았고, 안수후 17일만에 선교사파송이니까, 초고속으로 달린 것 아니겠는가. 그날, 토마스는 런던 테임즈 강변 그레이브센드(Gravesend) 항구에서 중국 상해를 향해 떠나는 증기기선에 오르게 된다. 아, 이 어인 조화런고? 하필이면 토마스 부부가 떠나는 항구 이름이 심상치가 않다 – Gravesend라고 하면, 그 뜻을 직역(直譯)할진대 '묘지로 보내다' 그런 뜻 아닌가? 세상에 그토록 재수없는(?) 항구 이름이 어디 있단말인가. 결국 이들 젊은 신혼부부는 고향땅 영국으로 다시 돌아오지 못하는 불귀(不歸)의 객(客)이 되지 않았던가.

그때만해도 영국으로부터 증기선으로 중국에 이르려면 무려 5개월이 소요되는 지리한 항해였는데, 토마스 신혼부부에겐 동방의 미지의 땅으로 향하는 허니문이었고, 어쩌면 그것은 하늘나라로 향한 영원한 순례여행이었던 것이다. 그날, 폴메이스(Polmaise) 호에 몸을 싣고 중국으로 떠나는 토마스부부를 환송하기 위해 많은 환송객이 부두에 나왔다. 그가 런던에서 신학공부를 하는 동안 섬겼던 웨스트민스터 회중교회(Westminster Congregational Church) 담임목사를 비롯, 24명의 교인들이 포구에 나왔으며 그들은 여행용 소형탁자를 선물로 토마스 부부에게 전했다. 거기 이런 글자를 새겨 석별의 정을 나누었다.

> 이것은 토마스목사 내외가 영국을 떠나 중국 선교사로 파송되는 데에 즈음하여 웨스트민스터교회 목사와 성도들이 삼가 올려드리는 선물입니다. 주님께서 그대를 축복하고 보호해 주실찌어다. (아멘!)
> 1863년 7월 20일

Chapter 05

상해에서 생긴 일

1863년 12월초, 토마스목사는 아내 캐롤라인과 함께 중국 상해에 도착한다. 영국 런던을 떠난 것이 7월이었으니 무려 5개월이 걸린 셈. 그들을 뜨겁게 영접했던 런던선교회(LMS) 상해지부 지부장 뮤어헤드(William Muirhead)가 런던선교본부에 보낸 1863년 12월 9일자 상해발 제1신:

> 폴메이스호가 안전하게 도착했음을 알리게 되어 기쁩니다. 선교사님 모두 건강합니다. 즐거운 항해였던 것 같습니다. 마침내 토마스목사 부부가 우리와 함께 있게 됐군요. '이처럼 좋은 증원군' (such a reinforcement) 보내주신 것 선교본부에 감사드립니다.

한편, 토마스의 상해발 제1신은 런던의 선교본부가 아닌, 1864년 2월 4일자로 웨일즈 부모에게 띄운 편지였다. 이제까지 토마스목사가 중국에서 보낸 첫번째 편지는 1864년 4월 5일자 런던선교회(LMS) 본부에 보낸 것으로 알려져 있었다. 그러나 필자가 토마스 후손인 엘리자베스로 부터 입수한 1백여 점의 진귀한 자료 속에서 발견해 낸 이 편지는 무려 2개월이나 앞서 토마스가 중국 상해에서 영국에 보낸 제1신임을 확인케 된 것이다. 부모에게 보낸 이 편지는 장장 7페이지에 깨알같은 글씨로 적어보낸 사신(私信)이어서 선교현장의 깊은 속사정을 속속들이 감지(感知) 할 수 있게 된다.

> '상해, 만사형통' (At Shanghai, all is well). 우린 커다란 응접실을 정돈하느라 분주한데, 두 주일정도 걸릴 것 같습니다. 모든 것이 제대로 자리를 잡으면 내 하모니움(harmonium)이 빛을 볼 것입니다. 아내는 잘 적응해 가고 있습니다. 아내를 돕고 있는 중국 소녀가 영어를 조금 알고 있어서 얼마나 다행스러운지요. 아내는 중국어를 개인교습으로 열심히 배우고 있습니다.

아내와의 사별(死別)

토마스목사가 연주하는 작은 풍금 하모니움의 서양선율이 흐르는 동양풍의 응접실. 거기 사랑하는 아내 캐롤라인이 남편 토마스 곁에 오롯이 서서 더불어 찬송가를 부르는 젊은 내외의 모습은 가히 환상적 아닌가. 바야흐로 신혼의 허니문이기도 한 이들 내외에게 상해는 진정 아름답고도 신비한 새 하늘과 새 땅이었으리라. 아, 그런데 이게 무슨 일인가. 토마스목사가 런던선교본부에 띄우고 있는 상해발 선교보고 제1신:

> 영국을 떠날 때에는 여기서 처음 쓰게 되는 편지가 이처럼 슬픈 소식을 알려주게 되리라고는 전혀 상상치도 못했습니다. 나의 사랑하는 아내가 지난달 24일 세상을 떠났습니다. 이 엄청난 슬픔으로 인

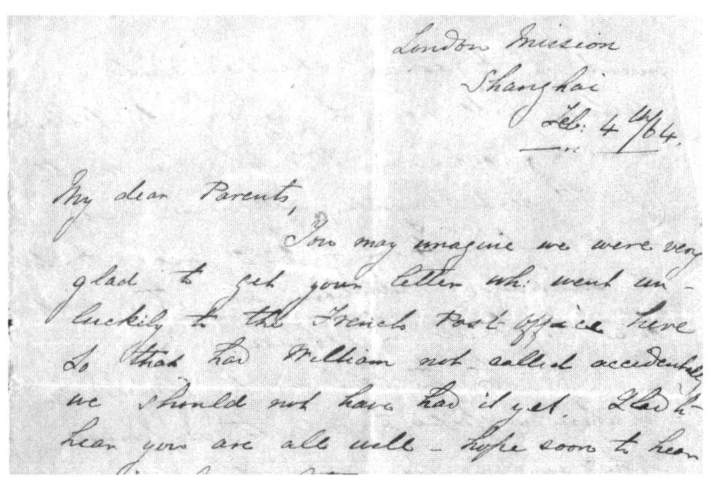

London Mission
Shanghai
Feb: 4th/64.

My dear Parents,
You may imagine we were very glad to get your letter wh: went unluckily to the French Post-office here so that had William not called accidentally we should not have had it yet. Glad to hear you are all well - hope soon to hear

토마스선교사가 부모 앞으로 보낸 제1신(1864. 2. 4. 상해)

하여 저는 기진맥진해 있습니다. 정말이지 상상치도 못한 일입니다.

청천벽력(晴天霹靂)이라더니, 아닌게 아니라 '마른 하늘에 날벼락'이 아닐 수 없다. '사랑하는 아내가 세상을 떠났다?' 어찌타 이런 일이 일어났단 말인가. 사연인즉 이렇다. 토마스목사는 한구(漢口)에 출타중이었다. 겨울에 몹시 춥고 여름엔 덥기로 소문이 나있는 상해인지라, 거기서 혹한(酷寒)으로 어렵사리 첫번째 겨울을 난 그의 아내가 또다시 여름동안 혹서(酷暑)로 시달릴 것을 염려한 토마스목사. 끔직히도 아내를 사랑하는 그는 아내를 위해 보다 기후가 온화한 곳을 찾아 현지확인차 출장길에 나섰던 것으로 보여진다. 그런데 혼자 집에 남겨두었던 아내가 그만이야 급서(急逝)한 것이다. 이역만리 낯선 땅에서 신혼의 단꿈을 꾸며 함께 복음의 씨를 뿌렸던 아내를 자신의 부재중(不在中) 잃어 고혼(孤魂)을 만들게 했다니, 이토록 허망한 일이 세상에 어디 또 있겠는가. 아내를 사별한 것도 기막힌 일이거늘, 그것도 자신이 출타중 잃게 됐다는 사실은 토마스로 하여금 더 큰 충격으로 몰아넣었을 것이었다. 가슴 에이는 장부(丈夫)의 단장(斷腸)의 애곡(哀哭)이여!

> 슬픔에 내 가슴은 온통 무너져 내립니다. 어디론가 멀리 떠나 온전한 변화를 찾지않으면 안되겠습니다. 사별을 알리다 보니 새록새록 슬픔이 복받쳐와 더 이상 써내려 갈 수가 없습니다. (중략) 너무도 쓰라린 슬픔에 가슴이 천 갈래 만 갈래 찢겨있습니다.

사표제출 상해를 떠나다

'상처망처'(喪妻亡妻)란 말이 있던가. 토마스를 두고 이른 말이렷다. 그의 행로에 먹구름이 덮인다. 그 먹구름은 먼저 런던선교회(LMS) 상해지부장 뮤어헤드와의 사이에 끼여든다. 토마스의 가슴 속에 그를 향한 원망과 배신감이 무섭게 일렁이고 있다. 그것은 1864년 12월 8일 상해발 런던선교회 총무 앞으로 보내는 토마스의 제3신에서 마침내 폭발로 터져오르고 있다.

> 나의 선교사역에 대한 견해가 뮤어헤드씨 견해와 다르다는 것을 당신은 아실 것입니다. 그동안 내내 뮤어헤드씨도 인내를 보였고, 나 또한 그분께 존경심도 가졌었지만 이젠 감정의 폭발(loss of control)이 있어 한 지붕 밑에 살고 있는 선교사 사이에 있어 마땅한 조화를 깨뜨려 버렸습니다.

감정을 폭발시켜 조화를 깨뜨리다? 무엇 때문인가? 토마스와 뮤어헤드가 각각 선교본부에 보낸 편지 속에서 그 편린(片鱗)을 찾아볼 수 있게된다.

첫째, 재정문제(Financial problem): 토마스의 견해로는 지부장 뮤어헤드가 재정문제에 있어 공명정대하지 못하다는 주장이다. 자신에게 영어교사로 돈벌이를 강요하기도 하며, 재정을 공개치 않고 있으며, 자신에겐 무료봉사를 강요하는 대신 뮤어헤드는 꼬박꼬박 월급을 챙겨간다는 것 등등.

둘째, 숙소문제(Accommodation problem): 토마스는 뮤어헤드와 선교사 숙소에서 기거를 함께하고 있는데, 아내가 죽자 뮤어헤드로부터 방 한 개를 비워달라고 강요 당했다는 것. 아내를 잃은 것도 서럽거늘 방까지 내어달라니, 그럴 수가 있느냐는 것이다. 더구나 토마스 부재중에 그의 친구가 찾아왔는데, 문전박대까지 당했다는 것.

셋째, 선교정책문제(Mission Policy): 토마스는 신속히 언어를 배우고 문화를 익히는 것이 선교에 있어 필수적인 무기요 바람직한 행동이라고 주장, 현지 중국인들과 어울려서 지내는 시간을 갖고자 하는 반면, 뮤어헤드는 그것은 위험하고 자칫 무책임한 행동이며, 모름지기 선교사는 선교안전지대에서 점진적으로 현지인에게 접근해야 한다는 주장.

넷째, 인간관계(Human Relation): 토마스는 아내의 돌연한 죽음이 자신의 부재중에 일어났는데, 그것은 한 지붕 밑에 살고 있는 지부장 뮤어헤드 부부가 자기 아내를 잘 보살펴 주지 않은 연고이며,

생전에도 그들이 자기 아내를 박대했다는 것. 토마스의 편지를 통해 살펴보건대, 사실은 이것이 토마스의 가슴에 사무치는 가장 큰 요인으로 작용하고 있는 것으로 여겨진다. (I must say that Mrs Muirhead was guilty of neglect towards my wife when dying and of worrying and harassing her when alive.)

자못 사소하고 어쩌면 유치하다고 까지 여겨지는 것들이기도 하다. 그런데 그 속에서 우리는 일그러진 우리들 자신의 자화상(自畵像)을 발견케 되고, 오늘 한국교회 선교현장을 보는듯함은 어쩐 일일까? 아니, 멀리 선교현장 뿐만 아니라, 우리들 주변의 한국교회 목회현장을 보는 것 같지 아니한가. 아무튼 이러저러한 일들로 인하여 신출내기 선교사 토마스와 노련한 지부장 뮤어헤드 사이엔 화해의 장이 마련되기는 어려운 국면에까지 접어들어 있는 것처럼 보인다. 토마스 일행이 상해에 첫발을 디뎠을 때 지부장 뮤어헤드가 언급했던 '이처럼 좋은 지원군' 이 이제는 '애물단지' 로 변했단 말인가. '루비콘 강을 건너버린' 토마스목사, 그는 런던선교회 상해지부에 사직서를 제출해놓고 총총히 선교현장을 떠나게 되는 신세로 전락한다. 그가 첫 선교지 중국의 상해에 첫발을 내디딘지 꼭 일년만의 일. 토마스는 1864년 12월 8일자 선교보고에 사임서 제출 사실을 밝혀놓고 있다.

지난해(1995년) 4월, 필자는 아내와 함께 토마스목사 내외가 신혼의 단꿈을 꾸었고, 사별의 아픔까지 서려있는 그들의 첫 선교현장 중국 상해(上海)를 방문했다. 130년 세월이 흘러간 세월 속에 상해는 결코 옛 모습을 찾을 길 없겠으나, 아직도 항구를 따라 늘어 서 있는 19세기 서

상해 포구(1995년)

양식 그 건물들. 고색창연한 건물들은 나름대로의 위용(偉容)과 기품(氣稟)을 잃지 않으려는 것일까. 그저 묵묵히 항구를 굽어보고 있는 것이었다. 그때 그 시절 토마스목사 내외도 여기 어디쯤에선가 신혼의 보금자리를 펴고 아름다운 꿈을 가꾸었을 것 아니런가. 오늘도 무심한 갈매기 떼들만 항구를 맴돌고 있는 것이었다. 그러저러한 모습들은 토마스목사의 발자취를 더듬어 예까지 찾아온 순례자의 마음을 더욱 아리게 하는 것이었다. 청운의 꿈을 안고 아내와 함께 찾아들었던 미지의 땅 중국 상해 – 거기 둘이서 찾아들었다가 아내를 잃은채 홀로 쓸쓸히 이곳을 떠나야 했던 외로운 이방 나그네 토마스. 문득 고려유신(高麗遺臣) 길재(吉再)의 회고가(懷古歌) 한 수를 읊조리게 되는 것이었다.

오백년 도읍지를 필마로 돌아드니
산천은 의구하되 인걸은 간데 없네
어즈버 태평연월이 꿈이런가 하노라.

Chapter 06

조선사람과의 만남

산동반도 연대(煙臺)

런던선교회(LMS)를 사임한 토마스목사는 첫번째 선교지인 중국 상해를 떠나 산동반도 연대(煙臺 Yentai)로 옮겨간다. 거긴 조선반도에서 가장 가까운 곳으로, 조선인의 내왕이 잦았던 포구였을 뿐 아니라 세계 여러나라에서 찾아드는 선박들이 많아 외국인들로 붐볐던 항구도시였다. 영국성서공회 중국지부 책임자로 사역하고 있는 친구 알렉산더 윌리엄슨(Alexander Williamson)선교사를 찾아갔다. 중국세관(Chinese Government Customs Service)에 통역관으로 일자리가 마련된 것이다. 그러나 그는 그곳에서도 변함없이 선교활동에 열중하게 된다. 선교단체 소속여부에 관계 없이 모든 그리스도인들은 어느 곳에서나 어떠한 상황에 처해 있을지라도 마땅히 복음을 전해야 하며 또한 할 수 있는 자격이 있다는 것이 그 당시 토마스목사의 선교관(宣敎觀)이었다.

> 하나님 앞과 살아있는 자와 죽은 자를 심판하실 그리스도 예수 앞에서 그가 나타나실 것과 그의 나라를 두고 엄히 명하노니 너는 말씀을 전파하라 때를 얻든지 못 얻든지 항상 힘쓰라 범사에 오래 잠

음과 가르침으로 경책하며 경계하며 권하라(딤후4:1-2)

1865년 1월 31일자로 중국 연대에서 런던선교회에 보낸 토마스의 선교편지 한 대목을 펼쳐본다.

> 세관업무에 종사함에 있어 마음 속으로는 선교사로서 임한다는 생각으로 이 일을 수락했고, 또한 중국 사람들을 긍휼히 여기는 마음으로 시작했기 때문에 나의 선교사로서의 견해에 있어 추호의 지장도 없습니다.(On my arrival in the Customs I took my position as a missionary in heart and sympathy so my views are not interfered with.)

이같은 선교관은 19세기 영국의 선교사였던 토마스목사에겐 자못 개방적이요 진취적인 자세였음을 엿볼 수 있는 중요한 대목이라 할 것이다. 아무튼 첫번째 선교지였던 중국의 상해에서 제도권(制度圈) 안에서의 선교활동에 깊은 회의를 느껴야 했고, 결국 사표를 제출해야 했던 중요한 요인으로 작용했던 토마스목사에게 있어 새로운 선교현장인 산동반도 연대는 새로운 꿈을 펼칠 수 있는 제2의 선교현장이 아닐 수 없었던 것이다. 오묘하다. 연대(煙臺)라는 지명은 봉화대(烽火臺)라는 뜻이기도 하다. 통신수단이 여의치 않았던 지난 세월, 연대는 아마도 긴급히 불을 밝혀 상황을 알려주는 역할을 감당했던 중요한 전략적(戰略的) 거점(據點)이었을 것이다. 바로 그곳이 이제 어둠의 땅 조선에 복음의 밝은 빛을 전해줄 생명(生命)의 전초기지(前哨基地) 역할을 감당하게 될 줄이야. 신비한 하나님의 섭리라 할 밖에, 어찌 다른 설명이 필요할까.

연대(煙臺)의 상징 등대(燈臺)

토마스목사의 발자취를 따라 순례의 길을 떠난 필자는 1995년 4월 아내와 함께 상해를 거쳐 연대를 향하는 중국 국내선 비행기에 몸을 실었다. 우리를 맞아준 것은 시골 간이역 같은 공항건물과 무뚝뚝한 낯선 중국사람들, 그리고 황량한 벌판이었다. 연대 시가지 쪽엔 제법 고층건물들이 들어서 있고, 호텔도 몇 있었지만, 역시 을씨년스런 분위기를 떨쳐버릴 수가 없었다. 하물며 1백여년전 토마스가 아내와 사별하고 혼자서 이 변방의 포구에 들어섰을 때, 이곳은 얼마나 황량했을 것인가. 우리는 토마스의 체취를 맡으며 자그마한 항구 이곳저곳을 훑어보는 가운데, 그가 중국세관원으로 일했던 그 세관 터를 찾아낼 수 있었다. — 중화인민공화국해관(中華人民共和國海關 The Customs of Yantai). 큼지막한 간판을 내걸고 있는 그 건물은 연대시내의 중앙통 대로변에 자리잡고 있었다. 그때 그 시절 바로 그곳이었을까? 우리는 그 언저리를 드나들며 중국사람들과 어울려 통역관으로 일했던 토마스의 모습을 그려보았다. 많은 외국사람들 속에서 중국어와 영어로 동시통역을 하며 활발하게 활동하던 토마스의 환영(幻影)이었다. 1865년 3월 15일자 그의 선교보고는 그가 그곳에서 아주 능동적인 선교활동을 펼치고 있었다는 사실을 설명해 준다.

> 이 항구(煙臺)에 있는 선교사들이 매달 한번씩 모이는 회합에서 지난달 나는 자신있게 세관 직원중 한 중국인이 기독교인이 된 것을 이야기 할 수 있게 된 것을 하나님께 감사드립니다. 그의 이름은 청(Cheng)으로 나의 매일성경공부 반에서 한동안 공부했으며 세례받기를 원했습니다. (중략) 주일마다 중국어로 드려지는 예배는 나와 윌리엄슨(Alexader Williamson)씨가 번갈아 맡고 있으며, 나는 또한 영어예배도 책임져야 합니다. 정말로 너무도 할 일이 많아 바쁘게 지내고 있습니다. 나는 날이 갈수록 선교사역을 더욱 더 사모하고 있습니다.

이 편지 속에 나타나 있는 그대로, 그때 그곳엔 토마스목사와 절친했던 윌리엄슨 선교사가 스코틀랜드 성서공회 책임자로 일하고 있었다. 토마스가 상해를 떠나 굳이 멀고 낯설 수 밖에 없는 산동반도 끝 연대에 까지 찾아든 것도 그 친구가 거기 있었기 때문이었다. 역시 '친구따라 강남 간다' 했던가. 그런데 바로 그곳에서 토마스목사는 동쪽으로부터 바다를 건너온 진객(珍客)을 만나게 될 줄이야. 조선사람 둘이었다.

조선사람과의 해후(邂逅)

동쪽 바다를 건너온 진귀한 손님? 토마스목사가 연대에서 처음으로 만난 조선사람 둘? 그들은 누구인가? 토마스목사는 그들의 이름을 알려주지 않고있다. 원로 교회사가 김양선목사는 그들이 김자평(金子平)과 최선일(崔善日)이라고 밝혀준다. 그들은 황해바다를 건너다니면서 장사를 하는 소규모 무역상으로서 토마스목사에게 있어선 첫 대면하게 되는 조선사람이었다. 그것은 어쩌면 운명적해후(運命的邂逅)가 아닐 수 없다. 그들은 품속에서 묵주(默珠)와 십자고상(十字苦像)과 교리서(敎理書) 등을 꺼내 보이며 자신들이 천주교인임을 밝히는 것이었다. 토마스목사는 그들과의 만남에 깊은 감명을 받게된다. 당시 조선의 상황은 천주교에 대한 박해가 극심할 때요, 그러한 성물(聖物)을 몸 속에 품고 다니다가 발각되면 목숨을 잃게 되는 끔찍한 일이 생길게 뻔한 세상인데, 그러한 위험을 감내하면서까지 신앙을 표현하는 그들의 행동에 경외심을 갖지 않을 수 없는 것이었다. 그러나 토마스는 저으기 의아로운 생각을 떨쳐버릴 수가 없는 것이었다. 왜? 그들의 품 속에서 여러가지 성물들은 나왔지만, 어찌하여 성경책은 보여지지 않는 것일까? 그때 조선은 천주교 포교 한세기를 헤아리고 있었으나 성경을 번역해 놓고있질 못한 형편이었다. 그리고 토마스는 그처럼 독실한 천주교 신자들임에도 불구하고 그 조선사람들이 성경에 대해서 너무 무지하다는 사실에 충격을 받기도 했다. 그는 조선의 양반들과 교육받은 식자층은 한문으로 의사소통을 하고있으며, 또한 한문성경을 해독할 수 있는 능력을 갖추고 있다는 사실도 알게 되었다. 토마스는 조선에 성경을 전하고 순수한 복음(pure Good News)을 전해야 되겠다는 사명감에 사로잡히게 된다. 조선을 자신의 새로운 선교현장(宣敎現場 a New Mission Field)으로 인식하게 된 것이다. 그리고 결단하게 된다 — "가자 조선으로!"

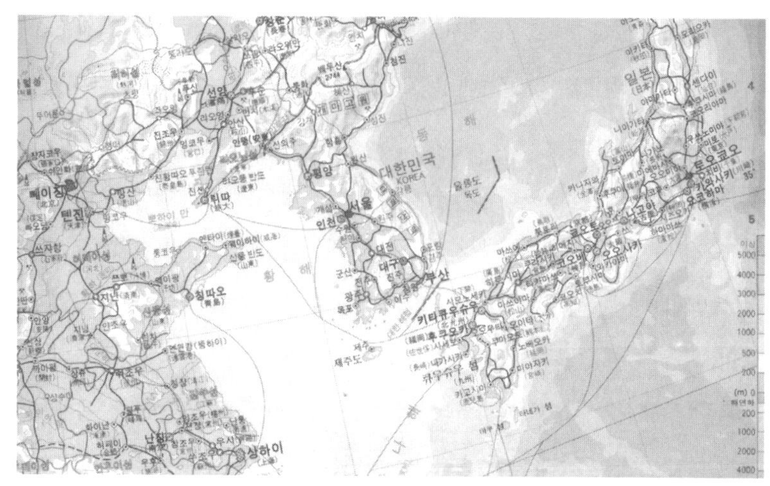

한반도와 중국 산동반도 사이

제1차 조선방문

1865년, 토마스목사는 그 천주교인 김자평과 최선일과 함께 조선으로 건너간다. 이것이 제1차 조선방문이요, 개신교 선교사로서 조선을 선교지로 정해놓고 찾아든 최초의 선교사가 되는 셈이다. 월리엄슨 선교사의 적극적인 후원과 재정지원이 있었음은 물론이다. 여비와 한문(漢文)으로 된 다량의 성경책을 지원해 주었던 것이다. 스코틀랜드성서공회의 성경반포자(聖經頒布者: 勸書)로 조선을 향한 장도에 오르게 된 것이다.

바야흐로 대원군의 천주교 박해가 절정에 다다른 음험한 조선 땅. 이미 세차례의 대대적인 천주교 박해가 있었던 그 땅. 신해교난(辛亥教難 1791년)과 신유교난(辛酉教難 1801년), 그리고 기해교난(己亥教難 1839년)이 그것들 아니던가. 이미 대원군의 쇄국정책(鎖國政策)은 물론 서학(西學)과 서교(西教: 天主教) 금압령이 내려져 있고, 바야흐로 전국에 척화비(斥和碑) 말뚝이 박히고, 오가작통법(五家作統法)을 비롯하여 온갖 규제와 감시망이 전국 방방곡곡 펼쳐져 있는 조선 땅이 아니던가 말이다. 이제 또 한차례 병인교난(丙寅教難 1866년)이 벌어져 천주교 서양 사제들과 교인들의 순교의 피로 붉게 물들이게 되는 피바다 조선땅이 아니던가 말이다. 거기 맨 몸 맨 손에 성경책을 들고 찾아간다는 것은 섶을 지고 불 속에 뛰어드는 것 같은 무모함이요, 그것은 어쩌면 거대한 모닥불을 향하여 날아드는 불나비 같은 모습이 아니겠는지. 내 한 목숨 복음을 위하여 조선민족의 제단에 기꺼이 바치겠노라 하는 각오 없인 차마 결단할 수 없는 행위 아니겠는가. 모름지기 생명을 내놓지 않고는 차마 상상도 할 수 없는 지고지순(至高至順)한 선교에의 부르심이요, 순교정신(殉教精神)의 승화(昇華) 아니겠는가.

이미 살펴본대로, 선교2세기를 맞은 한국교회 속엔 토마스목사에 대해서 부정적이며 여러모로 비하(卑下)하는 주장들이 나오고 있는 형편. 토마스의 조선방문은 모험심(冒險心)의 발로(發露)라느니, 그의 죽음은 순교로 규정하기에 마땅하지 않다는 주장들 말이다. 여러가지 부정적 견해를 허무맹랑으로 치부하기엔 무리일 수도 있을지 모른다. 그러저러한 주장을 무시할 수가 없는 형편이기도 하다. 그러나 필자의 견해로서는, 이미 밝혔듯이 그의 선교사로서의 순수한 소명의식과 중국선교사로서의 파송에 이르기 까지의 철저한 사명감과 준비과정, 그리고 죽음을 각오하지 않고서는 도저히 조선땅으로 나아갈 수 없는 결단력과 희생정신 등등 총체적상황(總體的狀況)을 종합해 볼 때 토마스의 선교사역과 순교에 대해 결코 폄하(貶下)할 수 없다는 것이 필자의 입장임을 다시금 밝혀두고자 한다. 다음과 같은 그의 선교보고를 찬찬히

숙독(熟讀)해 보자.

> 지푸(Chefoo 煙臺의 별칭)를 9월 4일(1965년) 떠나 조그마한 중국 돛단배(a small Chinese junk)를 타고 13일 조선땅에 상륙했습니다. 우리는 서해안(조선의) 지방에서 2개월 반을 지냈습니다. 조선 천주교인의 도움을 받아 조선어를 배워가지고 그 불쌍한 사람들에게 복음의 소중한 진리를 전했습니다. 조선사람들은 전반적으로 외국인들에게 아주 배타적(very hostile)이나 조선어로 몇마디 이야기를 할라치면 훨씬 호의를 보여 성경책 한두권 받아가도록 설득할 수 있었습니다. 그러나 무거우면 참수(斬首) 가벼우면 벌금형이나 감옥에 갇힐 위험을 무릅쓰고 받아간 성경이기에 이 책을 가져간 사람들은 진정 그 책을 읽기 원하는 사람들이라고 말할 수 있을 것입니다.(As these books are taken at risk of decapitation or at least fines and imprisonment, it is quite fair to conclude that the possessors wish to read them.)

토마스목사가 런던선교회 본부에 보낸 1866년 1월 12일자 조선방문(제1차) 보고서 한 대목이다. 이 편지를 읽노라면 우리는 새삼 그의 가슴 깊은 곳에 예수님의 마음처럼 조선백성을 향한 민망히 여기는 긍휼지심(矜恤之心)이 충만함을 감지케 된다. 그리고 죽음을 각오하고 왕 앞에 나아갔던 에스더의 유대민족을 향한 올곧은 애국애족(愛國愛族)의 뜨거운 사랑을 느끼게 되는 것이다.

> "죽으면 죽으리이다!" (에스더4장16절b)

Chapter 07

토마스목사의 조선사랑

토마스목사와 조선땅

토마스목사는 1865년 9월 4일 조선천주교인 두 명과 함께 조선을 향해 작은 중국 범선을 타고 중국 산동반도 연대(煙臺)를 떠난다. 일엽편주(一葉片舟)에 몸을 싣고 황해바다를 건너 9월 13일 조선땅에 닻을 내린다. 9일만이다. 이것이 바로 토마스목사의 제1차 조선방문인데, 그가 어디에 도착해서 어떻게 체류했는지에 대해 자세히 알 수 있는 역사자료는 아직 발굴되지 않고 있다. 다만 그가 런던선교회에 보낸 1866년 1월 12일자 선교보고를 통해 그 정황을 유추해 볼 수 있을 뿐이다. 이에 따르면 그는 조선의 서해안(the West coast of Corea), 본토로부터 멀리 떨어진(off the main land of Corea) 곳에 상륙, 2개월 반동안 체류한 것으로 돼 있다. (We spent two months and half on the coast.)

토마스목사기념사업회 총무를 역임한 오문환은 그의 저서 '도마스목사전' 에서 그때 그의 상륙지점을 황해도 장연(長淵)으로 밝혀놓고 있다. 뿐만 아니라 오문환은 그가 영문으로 발표한 논문(The Two Visits of the Rev. R. J. Thomas to Korea)에서는 토마스목사의 상륙지점을 그 당시 중국인 무역상들과 어부들이 자주 찾아들었던 소래해변(Sorai Beach)이라고 주장하고 있으며 거기서 점점 남쪽으로 이동, 옹진(甕津)에 이르렀다고 밝히고 있다. (From there he went on southward to Ongchin Beach.) 그의 이 같은 주장은 김양선에 의해 지지되고 있다. 한편 유홍렬은 토마스의 상륙지점을 백령도(白翎島)라 주장하고 있다. 아무튼 토마스는 조선땅에서 두달반을 체류하고 조선선박을 이용, 해안선을 따라 서울을 향해 접근하다가 심한 폭풍을 만나 조난, 구사일생으로 목숨을 건져 만주땅에 상륙, 천신만고 끝에 북경으로 돌아가게 되었다고 밝히고 있다. 따라서 토마스목사는 중국의 유럽인들을 떠나 조선땅에 찾아들었다가 도합 4개월동안 해상과 육로를 통해 2천 마일에 이르는 여행을 하게 된 것이었다. (To sum up, I have been four months away from European society and travelled by sea and land nearly two thousand miles.)

이것은 단순한 관광여행이 아니라 실로 목숨을 내걸고 감행된 조선선교를 위한 대장정(大長征)이었던 것이다. 이것은 장차 어두운 조선땅에 생명의 빛을 전해주고자 감행된 숭고한 발걸음이었으며, 더욱 더 효과적으로 진정한 복음을 전하고자 한 순교를 각오한 발자취였던 것이다. 토마스는 조선사람들에게 복음을 선포했고, 대화를 나누었다고 보고하고 있다.(I am well acquainted with the coast of the western provinces of Corea and have made numerous preachings and dialogues in the colloquial of the Capital which will be useful in any future negotiations with that people.)

이 선교보고에서 보는대로, 토마스는 조선선교를 위해 한반도 서해안의 지형을 제대로 익히는 기회로 삼았고 장차 수도에 진출해서 복음을 전하는 데 있어 유용한 기회가 될 수 있을 것이라는 확신까지 피력하고 있다. 사지(死地)에 다녀왔으나 그것이 장차 선교를 위해 생명의 길이라고 전망하고 있는 것이다. 마치 이스라엘이 가나안을 정복하기 전 모세가 12명 정탐꾼을 파송했을 때 보여주었던 반응을 연상케 한다. 조선은 당시 죽음의 땅이 분명했던 상황이었으나 토마스에겐 또다른 생명이 꿈틀대고 있는 약속의 땅이라는 확신으로 감격하고 있는 모습을 보게되는 것이다. 여호수아와 갈렙 같은 정탐보고가 아닐 수 없는 것이었다.

> 그 땅을 정탐한 자 중 눈의 아들 여호수아와 여분네의 아들 갈렙이 자기들의 옷을 찢고 이스라엘 자손의 온 회중에게 말하여 이르되 우리가 두루 다니며 정탐한 땅은 심히 아름다운 땅이라 여호와께서 우리를 기뻐하시면 우리를 그 땅으로 인도하여 들이시고 그 땅을 우리에게 주시리라 이는 과연 젖과 꿀이 흐르는 땅이니라.
> (민수기14장 6-8절)

"야수교 책이 매우 좋소이다"

천신만고 끝에 북경에 도착한 토마스목사. 그에게는 반가운 소식이 기다리고 있었다. 런던선교회(LMS) 본부로부터 선교사 재가입(再加入)을 허락한다는 편지가 기다리고 있었던 것이다. LMS 상해지부장 뮤어헤드(W. Muirhead)와의 불편한 관계 등 여러가지 여건으로 인해 선교사 직을 사직, 산동반도로 옮겨 중국세관에 통역사로 취직했던 토마스목사. 그러나 선교활동을 계속 벌여왔지만, 그때 그 시절 그곳 여건들이 개인이 독자적인 선교를 한다는 한계상황에 직면할 수 밖에 없었던 것이다. 그러기에 결국 토마스는 제1차 조선방문 전에 런던선교회 본부에 재가입을 신청해 놓았던 것이었다. 기쁨이 충만한 토마스목사의 북경발신 선교편지 제1신을 본다.

> 오늘로부터 꼭 한주일 전에 이곳(北京)에 도착하여 내가 이 훌륭한 선교회(LMS)에 임명되었다는 흐뭇한 소식을 들었습니다.
> (I arrived here a week today and only then learned the pleasant news that I had been appointed to this most interesting mission.)

'물고기가 물을 만난 것' 일까. 아니, 사람은 임자를 만나야 한다던가. 런던선교회 북경지사장 에드킨스(Joseph Edkins)는 기꺼이 토마스목사를 수용했고, 두 사람은 의기투합(意氣投合), 활발하게 선교사역을 펼치게 된다. 토마스는 중국인들에게 영어를 가르치는 영화학원(英華學院 Anglo-Chinese School) 원장직도 맡게된다. 북경이야말로 토마스에게 활력을 불어넣어줄 수 있는 선교의 전략적 요충지였던 것이다. 장구한 역사 속에서 세계의 중심이라는 중화사상(中華思想)의 본고장 중국의 북경은 그 원점(原點)이자 관문(關門) 아니던가. 그것은 마치

천안문광장에서(북경)

바울에게 있어서 로마와 똑같은 의미를 부여할 수 있게 되는 도시였으리라. '모든 길은 로마로 통한다' 했던가. 그 당시 '모든 길은 북경으로 통한다'는 것이 맞는 말이었을 것이다. 토마스는 바로 그곳에서 오래 전부터 조선으로 향한 선교의 문이 이미 열려있었다는 사실을 깨닫게 된다. 1866년 4월 1일자 북경에서 런던으로 보낸 토마스목사의 선교편지 한 대목을 들여다 본다.

> 해마다 이곳 중국을 방문하고 있는 조선사절단이 막 이곳을 떠났습니다. 북경에 있는 어느 외국인들 보다도 제가 조선사절단과 보다 더 친밀한 교제를 나눌 수 있었는데, 그것은 제가 이미 조선말을 익혔고 조선에 대해 잘 알고 있어서 그들이 쉽사리 저를 받아들일 수 있었기 때문입니다. 조선에는 지금 11명의 로마 가톨릭 선교사들이 포교활동을 하고 있고 수천명의 가톨릭 신자들이 있다는 것을 아시리라 믿습니다.

그러잖아도, 제1차 조선방문을 통해서 해돋는 동방의 작은 나라 조선을 향한 마음의 문이 활짝 열려있던 토마스목사. 그에게 조선으로 향한 대로(大路)가 이미 북경에 열려있었다는 사실은 얼마나 반가운 일이랴. 당시 조선은 동지사(冬至使)를 비롯, 정조사(正朝使), 성절사(聖節使), 탄일사(誕日使) 등 정기적인 사신을 중국에 보냈고, 이 외에도 진하사(進賀使), 진위사(陳慰使), 주청사(奏請使), 진향사(進香使) 등 여러가지 명목으로 북경을 찾아오고 있는 조선사절단을 그는 조선선교를 위한 복음의 중요한 접촉점(接觸點 Contact Point)으로 인식하고 있는 것이다. 조선으로 향한 토마스의 마음이 가득 담겨있는 선교보고가 런던으로 보내지기 시작한 것은 그의 8번째 선교편지(1866년4월4일자)부터인데, 이후 마지막 10번째 선교편지(1866년8월1일자)에 이르기까지 그 편지들 속엔 온통 '조선'(Corea)이라는 말과 '조선인'(Corean)이라는 단어들로 점철되고 있음을 보게 된다. 그런 토마스목사의 편지를 읽어내려 가노라면 그의 조선으로 향한 열정을 뜨겁게 느끼게 되는데, 문득 영문자로 표기는 됐으나 영어가 아니요, 자세히 읽노라면 그것이 갑자기 우리말 한글을 영문으로 표기한 것임을 이해하게 되는 대목을 만나게 된다? "Yasu Kyo checki meu choosoida"("야수교 책이 매우 좋소이다") 그것은 토마스목사의 조선선교를 결정적으로 고무시킬 수 있었던 신기한 사건이 아닐 수 없었던 것.

> 신기하게도 내가 작년 가을 조선 서해안 지방에서 배포한 책들이 평안도의 아름답고 많은 사람들이 살고 있는 지방수도 평양에까지 들어가 읽히고 있었습니다. 이번 겨울 이곳 중국에 온 조선사절단을 수행했던 박가라는 의전관이 내게 말하기를 평양에서 우리 책중

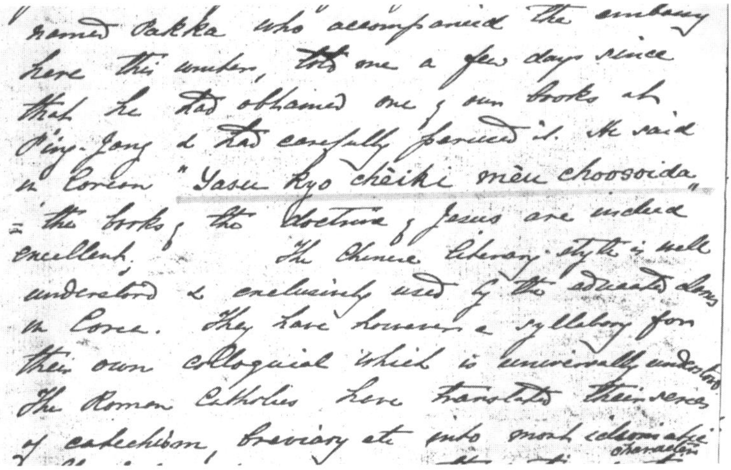
named Pakka who accompanied the embassy
here this winter, told me a few days since
that he had obtained one of our books at
Ping-Yang & had carefully perused it. He said
in Corean "Yasu kyo cheiki mëu choosoida"
= the books of the doctrine of Jesus are indeed
excellent. The Chinese literary style is well
understood & exclusively used by the educated class
in Corea. They have however a syllabary for
their own colloquial which is universally understood
The Roman Catholics have translated their series
of catechism, breviary etc into most idiomatic
characters

"야수교책이 매우 좋소이다" 영문 편지 구절

하나를 구해서 아주 정독을 했다고 합니다. 그가 조선말로 "야수교책이 매우 좋소이다"라고 이야기 하는 것이었습니다.

토마스와 조선선교

그러니까, 토마스목사가 제1차 조선을 방문했을 때 서해안 지방에 두달반 정도 머문 적이 있는데, 그때 배포했던 성경책이 평양에까지 전해졌고, 심지어 북경을 방문한 조선사절단 가운데 그 성경책을 소지한 인물이 있었다는 것 아닌가. 이 어찌 놀라운 일이 아니겠는가. 토마스의 제1차 조선방문이야말로 천신만고 끝에 이뤄졌던 일. 그토록 어렵사리 다녀온 길인데, 과연 무슨 열매가 있었던 것일까? 도무지 확인할 수 없는 막연한 일이었는데, 그토록 엄청난 열매를 거두게 될 줄이야.

원로 교회사가 김양선목사는 토마스가 조선에 다녀온 이후 런던선교회에 보고한 선교편지 속에 등장했던 '박가'(Pakka)라는 인물이 훗날 평안감사를 지냈으며 제너럴셔먼호를 격침시키는 작전을 총지휘하게 되는 평안감사 박규수(朴珪壽)라고 단정하고 있는 형편이다. 그렇다면, 여기서 유추할 수 있는 두가지 아주 흥미로운 정황이 가능해지기도 한다.

첫째는, 어찌하여 토마스목사가 두번째 조선을 방문할 때 서울로 향하지 않고 굳이 평양으로 향했을까 하는 것이다. 그것은, 토마스가 이미 중국에서 교제를 나누었던 인물이 박규수였기 때문에, 그가 평안감사로 재임중 방문할 경우 모종의 혜택이 있을 것이라는 판단을 했을 것이라는 점.

둘째는, 토마스목사가 통역사로 이끌었던 제너럴셔먼호. 그 이양선(異樣船 a strange ship)이 평양 부근 대동강에 나타났던 것이 1866년 8월 21일이요, 평안감사 박규수의 공격명령이 하달된 것이 9월 2일. 무려 13일동안 대치상태(對峙狀態)가 계속됐다는 계산이 된다. 그동안 피아간(彼我間) 격렬한 공방전(攻防戰)이 전개됐다. 작전수행 능력에 있어 엄청난 우위에 있는 평양성 당국이었음에도 불구하고 10여일이 지나도록 공격을 머뭇거렸던 것은, 박규수가 토마스 일행을 너그럽게 예우했다는 이야기가 되는 것 아닐까. 더욱이나 서울로부터 대원군의 공격명령이 빗발치고 있었음에도 불구하고 말이다. 아니면 토마스와 박규수가 서로 은밀히 내통(內通)한 것은 아니겠는가, 하는 추측도 가능해지는 것이다. 그렇다면 이건 엄청난 드라마가 되는 것이다.

그러나 토마스의 편지 속에 나타나 있는 '박가'라는 인물이 '박규수' 라는 근거는 아직 어디에서도 확인되지 않고 있다. 물론 박규수가 조선사절단의 일원으로 북경을 방문한 사실이 밝혀지고는 있으나, 그것은 토마스가 북경에 머물러 있었던 시기와 그의 방문일자가 맞아떨어지질 않는 것이다.

박규수의 북경방문

조선왕조실록에 따르면, 박규수의 북경방문은 두차례에 걸쳐 이루어졌다는 것을 확인하게 된다. 1차방문은 1860년(철종11년, 경신), 그의 나이 54세 때로 나타난다. 그해 12월, 영국 프랑스 연합군의 북경 점령으로 청나라 함풍제(咸豊帝)가 열하(熱河)로 피신한 소식을 접한 조선정부가 열하 문안사(問安使)를 파견하기로 하자, 박규수는 자원하여 부사(副使)에 임명되었다. 1861년(철종12년, 신유), 그의 나이 55세 때인 1월 북경을 향해 출발, 3월에 북경에 도착했으나, 함풍제가 조선 사신에게 열하 예방을 면제한다는 칙유를 내림에 따라 5월까지 북경에 체류하게 된다. 이때 그는 중국의 정세에 대해 보고하는 편지를 조선의 비변사(備邊司)로 발송한다. 그리고 5월, 북경을 출발하여 6월에 조선으로 귀환하게 되는데, 이것이 박규수의 1차 북경방문이다.

박규수의 2차방문은 그의 나이 66세가 되던 1872년(고종9년, 임신)에 이루어진다. 그해 4월, 그는 대원군에게 청원, 청나라 동치제(同治帝)의 결혼을 축하하는 진하사겸사은사(進賀使兼謝恩使)의 정사로 임명된다. 6월, 진하사의 정사(正使)가 됨에 따라 종1품 판중추부사(判中樞府事)에 가설(加設)된다. 그해9월 북경에 도착, 동치제의 결혼식 축하

행사에 참여한 후 11월 북경을 출발, 12월에 조선으로 귀환하게 된다.

한편 토마스목사 부부가 상해에 도착한 것은 1863년 12월초순이요, 그가 아내와 사별한 것이 1864년 3월이며, 그가 LMS 상해지부에 사임서를 제출하고 그곳을 떠나 산동반도 연대(煙臺)에 도착한 것은 그해 12월이었다. 박규수는 1864년 중반, 토마스가 상해에 머무르는 동안 잠시 북경을 다녀온 적은 있지만, 어떤 경우일지라도 워낙 시차(時差)가 크기 때문에 토마스와 박규수가 북경에서 조우(遭遇)할 수 있었던 기회는 불가능했던 것으로 보여지는 것이다.

아무튼 토마스가 런던선교회에 보낸 선교보고 속에서 우리는 그가 선교적 차원에서 조선의 상황을 얼마나 깊이 이해하고 있는 것인가, 그리고 조선사람들을 얼마나 깊이 사랑하고 있었던 것인가, 하는 것을 절실하게 느낄 수 있게 된다. 1866년 4월 4일자 선교편지 한 대목을 살펴본다.

> 중국의 한문문어체(漢文文語體)를 조선사람들은 잘 이해하고, 또한 조선의 지식층은 주로 한문을 사용하고 있습니다. 그러나 의사소통에는 조선 자체의 음절문자(音節文字)인 한글을 전국적으로 사용하고 있습니다. 로마 가톨릭교는 그들의 교리문답, 일과기도서 등등을 조선 고유의 문자를 사용하여 자연스런 한글 회화체로 번역해 놓았습니다. 조선의 유식한 사람들은 한문을 완전히 알고있기 때문에 우리 책을 조선 전체의 어린 아이들도 이해할 수 있는 말로 번역하는 데에 거의 어려움이 없습니다. 조선 8도의 말이 그렇게 많이 다르진 않습니다. 조선의 도시 안에는 불교사찰이 전혀 없다는 사

실은 (기독교의 포교 차원에서) 아주 중요한 일이 아닐 수 없습니다.

역시, 토마스목사의 조선선교를 향한 이해와 열정을 새삼 깊이 절감하게 되는 선교보고가 아닐 수 없는 것이다.

토마스의 행적을 상세히 기록해 놓은 조선왕조실록(朝鮮王朝實錄)

Chapter 08

토마스목사의 마지막 편지

'잔인하고 사악한 대학살'

비록 중국땅에 몸을 담고는 있지만, 항상 황해바다 건너 조선을 향해 촉각을 곤두세워 놓고 안테나를 높이 올려 조선에서 날아오는 주파수에 다이얼을 맞춰놓고 있던 토마스목사. 그런 그의 안테나에 조선으로부터 긴박한 뉴스가 걸려든다.

> 유럽에 전쟁이 났다는 소식을 듣고 놀랐습니다만, 이곳 가까이 있는 나라에서 더욱 엄청난 일이 벌어져 우리의 모든 관심을 끌고 있습니다. 아주 잔인하고 사악한 대학살(a foul and wicked massacre)이 최근 조선에서 벌어졌습니다. 2명의 로마 가톨릭 주교와 7명의 서양 선교사들이 야만스럽게 고문을 당한 후 참수 당했습니다.(barbarously tortured and then beheaded)

지푸에서 만난 조선족 택시운전기사(가운데)와 필자 부부

토마스목사가 중국으로부터 런던선교회에 보낸 10통의 선교편지 가운데 맨 마지막 편지인 1866년 8월 1일자 지푸(Chefoo 煙臺) 발신의 첫 대목이다. 우리는 토마스의 이 편지를 접하면서 몇가지 의구심을 떨쳐버릴 수가 없게 된다. 토마스는 어디서 이러한 정보를 입수할 수 있었던 것일까? 왜 토마스는 이 편지를 지푸에서 발송하고 있는 것일까? 그의 선교현장은 북경인데 말이다. 이래저래 토마스목사의 마지막 편지는 우리를 긴장시킨다.

> 한달여 전에 조선 선박이 뱃머리에 불란서 국기를 달고 이 항구(Chefoo)에 들어오는 것을 보았습니다. 이 배로 불란서 선교사인 리델(Ridel) 신부님과 천주교도인 조선 선원들이 들어왔습니다. 리델 신부님 증언에 따르면, 그 학살은 러시아 세력이 조선 북동 국경지역에 진출함으로써 야기됐다고 합니다. 또 다른 설에 따르면, 가

톨릭 측에서 조선정부를 전복시키려는 음모를 꾸몄다는 주장도 있습니다.

토마스목사의 마지막 편지를 읽노라면, 리델신부가 조선에서의 천주교 박해에 대한 위급한 상황을 아주 소상하게 파악하고 있다는 느낌을 갖게 된다. 우선 병인박해의 원인규명이다. 두가지를 들고 있다. 그런데 그것은 역사학자들이 똑같이 파악하고 있는, 정확한 논지(論旨) 아닌가.

첫째, 러시아의 남하정책에 따른 조선천주교 측의 국난극복 제안에 대한 분석이다. 일찍이 천주교 측에서는 대원군에게 제안하기를, 프랑스의 힘을 빌려 러시아를 물리칠 수 있고, 그 일에 조선천주교가 거중조정역(居中調停役)을 담당하겠다고 주청(奏請)했던 것이다. 대원군도 이러한 천주교 측의 제의에 긍정적이었던 것으로 알려져 있다. 그러나 결국 천주교 측의 소극적 자세로 오히려 불신을 초래하게 됐고, 결국 대원군이 천주교를 박해하는 입장으로 선회하게 됐다는 것.

둘째, 가톨릭 측이 조선정부 전복음모, 곧 쿠데타를 획책하고 있다는 엄청난 소문에 관한것. 그것은 이른바 '황사영백서사건'(黃嗣永帛書事件)을 가리킨다. 황사영은 본래 주문모 신부로부터 영세를 받았던 독실한 천주교 신도. 1801년 신유박해가 일어나자, 그는 북경주재 주교에게 조선천주교의 참상을 소상하게 알려 위기를 극복하는 것이 좋겠다고 판단한다. 그리곤 비단에 한문세필(漢文細筆)로 조선천주교의 상황을 알림과 동시에 프랑스 측의 개입을 통해 위기를 면할 수 있게 해달라는 편지를 써서 보내고자 했던 것이다.

그것은 길이 62cm, 폭 38cm의 하얀 비단에 1만3천여자를 깨알처럼 빼곡이 써내려간 일종의 탄원서 같은 것. 내용인즉슨, 조선의 정세는 불안하고 군대는 열악하므로 프랑스 함대를 파견, 조선을 위협 견제함으로써 포교의 자유를 얻게 해 달라는 내용이었다. 그 탄원서야 말로 '쿠데타음모' 라고 불릴만큼 조선정부의 조야를 발칵 뒤집어 놓는 파급력을 가질 수 있는 밀서(密書)였던 것이다. 그것이 중국으로 유출되기 직전 황해도 앞바다 해변에서 포졸들에게 발각됨으로써 진상이 폭로되고, 그 탄원서를 기초했던 황사영(黃嗣永)은 물론 일반 천주교도들이 엄청나게 붙들려 처형되는 참변을 불러일으키게 된다. 이 사건은 조선의 일반 백성들에게까지 천주교애 대한 불신감과 반발심을 초래케 하였던 것이다.

슬픈 소식(The Sad News)

조선에서의 천주교 박해사건에 대해 토마스목사가 민감한 반응을 보이고 있다는 사실은 그의 마지막 편지 속에서 쉽사리 감지된다. 그는 이 사건을 '슬픈소식' (The Sad News)이라고 언급하면서 편지의 대부분을 이 사건에 할애하고 있는 것을 본다.

기독교인에 대한 대량학살의 슬픈소식(The sad news of the wholesale murder of these Christians)이 이곳 북경에 전해지자 프랑스 대사는 즉각 해군제독과 제휴, 원정대를 조선에 파송하여 산속에 숨어 있을 것으로 추정되는 두명의 프랑스 선교사를 구출하기로 결정했습니다. 그 해군제독은 이곳 수도(북경)를 막 떠나 천진을 향했습니다. 왜 이토록 끔찍한 대학살을 자행했는지에 대해 만족할만한 이유를 낼 것과 서방세계에 빗장을 걸어 잠그고 쇄국정책을 써온 조선에 문호를 개방하고 서방과 교역할 것 등을 촉구하는 결정을 내렸던 것입니다.

그 당시 프랑스는 나폴레옹3세에 의해 통치되고 있던 시절. 미지의 나라 조선에서의 프랑스 선교사 대학살은 저들의 자존심을 자극하기에 충분했으며 분노를 격발시켰던 것이다. 공사 벨로네(Henrie de Bellonet)의 외교문서 속에 저들의 분노를 넘어선 오만과 방자함이 여실히 드러나 있는 것을 보게 된다.

황제폐하가 다스리고 있는 (프랑스)정부는 (조선의) 유혈낭자한 만행을 결코 묵과할 수 없는 바이다. 조선왕이 나의 불운한 신민에게 손을 댄 그날, 그날이 바로 조선이 스스로 왕위를 포기하고 자신의 무덤을 파게 된 날인 것을 내가 엄숙히 선언하노라. 이제 즉시 조선 정복을 향한 행진이 전개될 것이며, 이제 황제폐하만이 짐의 기쁘신 뜻을 따라 이 나라를 적당히 처치하고 공석이 된 왕좌를 차지할 힘과 능력을 소유하게 된 것이다.

주권모독(主權冒瀆)도 이만하면 감히 몰염치와 수치의 극치가 아니겠는가. 벨로네는 당시 중국에서도 악명이 높았던 외교관. 그는 즉시 로즈제독(P.G.Roze 佛國印支艦隊司令官)에게 프랑스 신부에 대한 대량학살을 빌미로 조선에 일촉즉발의 전쟁위협을 고조시키고 있는 형국이다. 우리는 토마스목사가 중국 지푸에서 런던선교회에 급전으로 띄우고 있는 마지막 편지의 한 대목을 통해, 토마스목사가 한 마리의 불나비인냥 위태롭고도 위급한 조선의 상황 속에 뛰어들고 있는 모습을 보게 된다.

이곳 프랑스 대사가 나에게 통역으로 해군제독을 수행해 줄 것을 요청했습니다. 내가 아직까지 이곳에서 조선의 해안지방을 알고, 또 조선어를 할 수 있는 유일한 외국인입니다.(The French Ambassador has requested me to accompany the Admiral. I am the only foreigner living who is acquainted with the coast and who has a general acquaintance with the language.)

토마스목사가 은밀하게 간직하고 있었던 두 가지 무기, 그것들이 결국 토마스로 하여금 조선으로 향하게 되는 특권으로 작용할 줄이야. 그 무기는 어떠한 것들인가? 첫째는, 조선어를 어느 정도 구사할 수 있는 언어능력, 그리고 또 한가지는 이미 한차례 조선답사를 통해 서해안 지형을 어느 정도 파악하고 있었다는 것이다. 토마스목사가 일찍이 런던에서 신학을 공부하면서 선교에의 부름을 받았던 시절, 그는 언어를 선교의 제1무기로 간파했던 것. 역시 놀라운 통찰력이 아닐 수 없는 것이다. 이는 오늘 한국교회가 해외 선교지망생을 선발, 훈련, 파송함에 있어 중요한 교훈으로 삼아야 할 대목이거니와 조선땅을 향한 그의 순발력(瞬發力) 또한 놀라운 일이 아닐 수 없다. 어느새 그는 조선행 티켓을 따놓고 있는 것 아닌가. 토마스는 이미 조선을 향해 북경을 떠났고, 천진을 거쳐 산동반도 지푸(Chefoo)에 도착, 조선을 향한 대기상태로 출항을 기다리고 있었던 것이다. 1866년 8월 1일자, 그가 지푸에서 런던 선교회에 보낸 마지막 선교편지, 그 편지의 마지막 부분을 펼쳐본다.

하나님의 축복으로 북경에선 우리의 (선교)사역에 빠른 진전이 있어 단 몇 주(週)라도 북경을 떠나는 것이 아쉬울 정도입니다. 그러나 나는 에드킨스(LMS북경지부장)씨와 모든 선교사를 대표하여 한 개신교 선교사로서 그 나라에 가는 것이 매우 중요한 일인 것을 알기 때문에 조선에 가기로 결정했고, 이러한 나의 방문을 통해 그 나라의 수도(서울)에서 우리의 선교사역에 아주 유익한 영향력을 미칠 것을 기대합니다.

토마스목사가 머물렀던 북경을 한국기독공보 직원들과 방문했던 어느 날 천안문 광장

Chapter 09

토마스목사와 제너럴셔먼호

프랑스 아시아함대 로즈제독

제2차 조선방문을 위하여 급거 북경으로부터 천진을 거쳐 산동반도의 지푸로 향한 토마스목사. 그는 바로 그곳에서 프랑스 아시아함대 사령관(The Commander of France's Asian Fleet) 로즈제독(Admiral P. G. Roze)과 합류, 조선으로 함께 가기로 약속이 돼 있었다. 그러나 그가 천진을 경유할 때 프랑스 영사로부터 토마스목사는, 로즈제독이 베트남에서 갑자기 발생한 폭동을 먼저 진압키 위해 함대를 이끌고 사이공으로 떠나게 됐다는 기별을 듣게 된다. 한달 후 귀환예정이니, 그때 만날 것을 기약하며 지푸에서 기다려달라는 로즈제독의 부탁이 토마스목사에게 남겨져 있었던 것이다. 하지만 조선으로 향한 토마스목사의 다급한 심정엔 찬물이 끼얹어진 것. 낭패가 아닐 수 없었다. 그런데 그때, 예기치 못한 일이 벌어졌다. 토마스목사가 조선행을 학수고대하며 기다리고 있던 지푸, 바로 그 항구에 조선을 향해 떠나는 배 한 척이 나타난 것이다. 이름하여 제너럴 셔먼 호(The General Sherman).

불현듯 지푸항에 나타남으로써 조선으로 향한 토마스목사의 열망에 기름을 부어넣어준 제너럴셔먼호의 출현. 이 배는 미국 국적의 상선으로 선주인 미국인 프레스톤(W. B. Preston)이 자신의 신병요양차 중국에 들렀다가 영국국적의 천진주재 메도우즈상사(Messrs Meadows & Co.)와 용선계약을 했던 것. 1866년 10월 27일자 메도우즈상사가 미국공사 벌링게임(Burlingame)에게 보낸 서한 속에 제너럴셔먼호의 정체가 조금 밝혀지고 있다.

> 7월하순 미국 범선(The American schooner) 제너럴셔먼호가 천진에 입항, 건강요양차 승객으로 탑승, 이곳을 방문한 선주 프레스톤씨는 이 배를 우리 회사에 의뢰했다. 우리는 선적된 화물을 인도받은 후 프레스톤씨와 우리회사간에 다음과 같은 협정을 체결했다 - 본사는 제너럴셔먼호에 외제상품을 선적하고 화물관리인을 동승시켜 조선으로 출항, 이 상품을 조선에 팔기로 했다.(Mr. Preston and we came to an arrangement that we should load her with a cargo of foreign merchandise, and dispatch her to Corea with a supercargo to sell the goods there.)

제너럴 셔먼호(The General Sherman)

제너럴셔먼호는 스쿠너(Schooner). 이 배는 보통 돛대가 둘, 때로는 그 이상도 갖고 있는 종범선(縱帆船)으로 미국에서 만들어져 토마스목사가 활동했던 19세기 중반에 중국과의 무역에 주로 사용됐던 선박. 그때 중국 천진에서 조선으로 싣고 갈 화물에는 어떤 것들이 있었던 것

제너럴셔먼호 침몰현장에서 건져 올렸다고 주장하는 대포(평양혁명박물관)

일까? 면직물, 유리제품, 아연판, 바늘 등 화물을 적재한 것으로 돼 있다. 젊은 시절 대동강변 지역에서 목회활동을 했던 한국교회 원로 방지일목사는 그 당시 대동강에서 물장구를 치며 미역을 감던 개구장이들이 대동강 깊숙이 자맥질을 해서 뻘속에서 무엇인가 한웅큼 움켜쥐고 나올라치면 그 속에 녹이 슨 바늘이 들어있었다고 회상하고 있다. 어디 그뿐이겠는가? 평양혁명박물관에는 제너럴셔먼호에서 노획한 물건이라해서 대포와 대포알, 그리고 쇠줄 등을 전시해 놓고 있는 것을 본다. 또 제너럴셔먼호를 격침한 사건을 기념하는 대동강변의 대형 기념비석 옆에도 대포와 대포알을 전시해 놓고 있다. 이 배는 철저하게 무역을 위한 항해임을 밝혀주고자 상선(商船)임을 강조하고 있었으며, 심지어 영국인 호가드(Horgath)를 화물관리인으로 임명하고, 1866년 7월 29일 천진을 출항, 지푸를 거쳐 선수(船首)를 조선으로 향하고 있다. 토마스목사가 이 배에 어떤 조건으로 동승하게 되었는지는 잘 알려져 있지 않다. 베도우즈상사의 편지는 그를 '선객'(船客 a passenger)으로 설명하고 있음을 본다.

> 또한 조선어에 대한 지식을 보다 더 확장하기 위해 조선을 또다시 방문하고자 하는 소원을 피력한 바 있는 토마스씨를 선객으로 동승했다. (also Mr. Thomas, Who having expressed a wish to visit Corea again, in order to extend his knowledge of the Corean language, went as passenger.)

조선을 방문하는 제너럴셔먼호 역시 프랑스 함대와 마찬가지로 수로안내자(Navigator)와 통역사(Interpreter)가 절실하게 필요했을 게 빤한 일. 토마스는 그들에게 '안성맞춤' 일 수 밖에 없는 존재로 스카우트 되었을 게 틀림없다. 그럼에도 불구하고 이 편지는 토마스를 다만 '선객' 으로 표현하고 있는 것이다. 왜 그랬을까? 필자는 이 편지가 작성된 날짜에 주목하게 된다. 1866년 10월 27일, 그러니까 이 편지는 토마스목사의 참변소식이 중국에 전해진 다급한 상황 속에서 작성된 것이다. 바야흐로 이 배의 손해배상문제 등 예민한 사안이 개재돼 있기 때문에 책임범위가 무거울 수 밖에 없는 '수로안내자' 혹은 '통역사' 와 같은 고용관계 보다는 가벼운 '선객' 으로 분류해 놓고 있는 것 아니겠는가. 사실상 토마스목사는 제너럴셔먼호에 탑승, 조선을 방문하는 과정 속에서 단순한 '선객' 차원을 넘어 안내자와 통역사로서 주도적인 역할을 감당하고 있음을 보게되는 것이다.

아무튼, 제너럴셔먼 호의 승선자는 선주 프레스톤, 선장 페이지(Page) 항해사 윌슨(Wilson) 등 미국인 3명, 화물관리인 호가드와 토

제너럴셔먼호:원래 미군해군소속 프린세스로열호를 프레스톤이 구입, 이름을 바꿈
(2개의 돛대가 있는 80톤급 증기범선. 길이 55m 너비 15m 12파운드 대포 2문 장착)

마스목사 포함 영국인 2명, 향도(嚮導)와 통역보조원 역할의 조반량(趙半良), 이팔행(李八行) 등 중국인 2명, 말레이지아 선원 등 모두 24명으로 알려지고 있다. 이들은 항해에 필요한 모든 준비를 끝내고 1866년 8월 9일 지푸항을 출항, 조선으로 향하게 되는데, 여기서 우리는 토마스목사의 조선을 향한 부푼 꿈을 다시금 되새기게 된다.

> 친절한 영국상인의 스쿠너 배를 타고 조선으로 가게 됩니다. 충분한 양의 책(성경)을 가지고 가며 진심으로 조선사람들이 나를 환영해 줄 것이라는 기대에 부풀어 즐겁기만 합니다. (I have accepted a passenger over to Corea, in the schooner of a friendly English merchant. I take a good supply of books with me and am quite sanguine that I shall be welcomed by the people.)

제너럴셔먼호의 미스터리

한때 장로회신학대학 교수로 활동했던 사무엘 마펫박사(Dr. Samuel H. Moffett)는 1973년 5월 6일자 서울에서 발행된 코리아헤랄드에 기고한 '제너럴셔먼호의 신비- 토마스의 제2차 조선방문' 이라는 제목의 글에서 이 배의 조선행이 신비에 쌓인 불투명한 항해였음을 밝혀주고 있다.

> 또 하나의 신비는 제너럴셔먼호의 진정한 항해 목적이다. 많은 사람들은 이 배가 정상적인 항해로 보기에는 너무나 과도한 중무장을 하고 있었다는 것이다. 아울러 당시 중국의 항구에서는 조선 평양에 있는 왕릉의 관 속에는 금괴(金塊)가 들어있다는 소문이 파다했었다. 따라서 많은 사람들은 이 배의 항해 목적을 일컬어 최악의 경우 도굴범이요, 최상의 경우라고 해도 해적행위라고 빈정거렸다.

뿐만 아니라 그리피스교수(Prof. W. E. Griffis)는 그가 쓴 '은둔국 조선' (Corea, the Hermit Nation)이라는 책에서 제너럴셔먼호의 조선항해 목적을 가리켜 역시 '의심스러운 것' (suspected)으로 표현해 놓고 있음을 보게된다.

> 애당초 제너럴셔먼호의 항해는 평화적인 무역으로 보기엔 무리하리 만큼 승무원들이 너무 중무장을 한 것이어서 의심스러웠다. 또한 여러 왕조의 왕들이 묻혀있는 평양의 왕릉엔 금괴가 묻혀있다는 소문이 중국에 파다했으며, 따라서 그들의 항해는 그 금괴를 얻어 보겠다는 속셈에서 나온 것으로 알려져 있는 형편이었다.

그러한 연고 때문일까? 필자가 셔먼호의 미스터리를 밝히고자 미국 동부지역에 있는 명문대학의 도서관들과 고문서보존소 및 정부문서보존소 등지를 방문, 자료를 발굴하고자 애를 썼지만 자료에 접근하는 것조차 수월치 않았던 경험이 있다. 당시의 정황을 증언할 수 있는 자료들이 너무 깊숙이 보존돼 있고 접근이 극도로 제한돼 있으며 고도의 보안장치로 통제되고 있음을 느끼게 되었다. 예일대학교 도서관 고문서 전문사서(Archivist) 스몰리여사(Mrs. M. L. Smalley)의 협조를 얻어 정부기밀 문서 속에 깊숙이 숨겨져 있는 제너럴셔먼호에 관한 귀한 자료를 찾아낼 수 있었음은 가히 행운이요 축복이었다.

THOMAS MEMORIAL ASSOCIATION
PYENGYANG, KOREA

Via Siberia

英國行
西伯利亞經由

Mr. R. C. L. Thomas.
The Shrubbery
Stow Hill,
Newport.
Mon.
England

토마스 목사 후손을 찾게 된 단서를 제공한 주소가 적힌 편지봉투
(토마스선교회가 후손에게 보낸 편지. 1930년대)

Chapter 10

토마스목사의 제2차 조선방문

제너럴셔먼호의 출항

토마스목사가 몽매에도 잊지 못해 촌각을 다투어 찾아가고 싶었던 '새하늘과 새땅' 조선이여! 그는 무역길을 트기 위해 출항한다고 하는 미국국적의 상선 제너럴셔먼호에 몸을 싣는다. 그러나 토마스목사의 조선을 향한 선교의 열정과는 다르게 주변의 시선은 곱지만은 않은 편이었다. 그리피스교수(Prof. W. E. Griffis)는 그가 쓴 '은둔국 조선'(Corea, The Hermit Nation)에서 당시 상황을 소상하게 밝혀주고 있다. 제너럴셔먼호가 무역하는 상선으로 보기에는 의심스러우리만큼 대포로 중무장을 하고 있었고, 승무원들 역시 통상을 위한 것으로 보기엔 어려우리만큼 중무장을 하고 있었기 때문에 애당초 그들의 항해 성격이 의심스러운 것으로 지푸항에는 이미 소문이 파다했었다는 것. 더구나 여러 왕조를 거치면서 왕릉들이 있는 평양의 왕릉 속에는 금괴가 묻혀 있다는 소문이 중국에는 이미 파다하게 알려져 있는만큼 그들의 조선방문은 필시 그 금을 어떻게 좀 도굴하려는 속셈에서 이뤄지고 있는 것이 아니냐 하는 것을 쉽사리 짐작해 볼 수 있는 형편이었다는 것이다. 뿐만 아니라 그는 한반도와 가장 가까운 거리에 있는 중국의 산동반도와 조선과의 관계를 이렇게 설명해 주고 있다.

> 조선으로부터 까마귀도 날아가 닿을 수 있는 약 80마일 거리의 바다 건너편에 인구가 조밀한 중국의 산동반도가 있다. 이 반도의 동쪽 끝에는 지푸(Chefoo)와 위해(威海) 항구가 있으며 북쪽으로 조금 더 올라가면 천진(天津)이 있다. 예부터 중국의 함대와 침략군들은 한반도를 공격할 때 이 항구들을 이용했다. 그리하여 조선의 대동강은 돛대 끝에 용의 깃발이 펄럭이는 중국의 정크와 함대로 항상 붐볐다. 중국의 해적들은 산동반도를 출항, 조선의 아름다운 해안과 푸른 섬들을 향해 항진, 약탈과 파괴와 살륙을 일삼았던 것이다.

무역선 · 해적선 · 도굴선

조선을 향해 떠나는 제너럴셔먼호는 과연 순수한 무역선인가? 제국주의 해적선인가? 아니면, 금괴를 노린 도굴선이란 말인가? 그리고 그 배에 승선한 토마스목사는 순수한 선교사인가? 단순히 선객인가? 아니면 통역사인가? 그렇지 않으면 바닷길 안내자란 말인가? 이러 저러한 사연을 안고 베일에 가리운 채, 제너럴셔먼호가 토마스목사를 승선한 채 산동반도 지푸항을 떠나게 된 것은 1866년 8월 9일의 일이었다. 필자가 예일대학교 도서관의 미국정부 기밀문서에서 발굴한 자료는 제너럴셔먼호와 토마스목사의 항해목적을 유추할 수 있는 단서를 제공해 준다.

> 제너럴셔번호는 전진소재 메도우즈상사에 용선계약, 표면상 파지

에트(Passiett)를 향해 8월9일 이 항구를 떠났다. 이 배는 급수를 요청했으며, 화물관리인으로 임명된 호가드와 통역사인 토마스목사는 영국인이며, 선주 프레스톤과 선장 페이지, 그리고 선장의 친구인 윌슨은 미국인이었다. 15명 내지 20명으로 구성된 승무원은 말레이지아와 중국사람이었다. 적재화물로는 면제품과 유리, 양철판 등이었다.(The General Sherman was charted by Messrs. Meadows & Co. of Tientsin, and left here on 9th August ostensibly for Passiett. She called for water, took Mr. Horgath as supercargo, and Rev. Mr. Thomas as interpreter, both of whom were British subjects. The ower W. B. Preston, Page captain, Wilson chief mate, were Americans. The crew consisted of from 15 to 20— Malays and Chinese. Cargo cottongoods, glass, tin plate, &c, &c.)

이 문서는 1866년 12월 31일자로 당시 지푸주재 미국영사(the United States consul in Chefoo)가 워싱턴의 미국국무장관(Secretary of State in Washington) 시워드(W. H. Seward)에게 보낸 제너럴셔먼호 사건에 관한 상세한 보고서 가운데 한 대목이다. 이 문서를 통해 우리는 몇가지 중요한 사실을 발견케 된다. 우선 제너럴셔먼호의 행선지이다. 분명히 조선으로 향하고 있었던 그 배가 '표면상' 파지에트로 밝히고 있었다는 사실이다. 파지에트가 어디인지를 확연히 규명하는 일은 더 조사가 요구되는 일이거니와, 다만 당초 목적지였던 '평양'이 아닌 것만은 명확하다 하겠다. 따라서 제너럴셔먼호의 항해목적과 성격을 짐작케 하는 단서로 채용될 수 있는 빌미를 제공하고 있는 것이다.

그와함께 이 문서는 토마스목사와 제너럴셔먼호와의 관계를 분명하게 밝혀주고 있음을 보여주고 있다. 그는 '통역사'(interpreter)로 승선했다는 사실(事實)이다. 이것은 토마스목사의 역할과 위치를 비롯 제너럴셔먼호와 운명을 함께 한 그의 행적을 추적하는 데 있어 중요한 근거로 활용할 수 있는 귀중한 사실(史實)이 되는 것이다.

"슬프도소이다"

거친 황해바다 파도를 가르며 토마스목사가 찾아들었던 조선, 그곳은 '새하늘과 새땅' 아닌 '동토'(凍土)요 '사지'(死地)였나니, 아, 준엄하고 지엄한 나랏님의 포고를 보거라.

> 근자 수많은 이양선(異樣船)이 우리나라 해안에 자주 자주 출몰하노니, 어느 누구도 저들과 접촉을 반드시 금할지로다. 특별히 평안도와 황해도 관찰사는 해안지방 방비를 엄히 할 것이며, 만일 수상한 자가 나타날 시엔 반드시 체포할 것이며 문초하고 가차없이 처벌하여 경고를 삼을찌어다.

1866년 음력7월 10일자 고종태황제실록(高宗太皇帝實錄)의 한 귀절. 어린 아드님 고종황제를 대신해서 수렴청정(垂簾聽政), 권력을 전횡(專橫)하던 흥선 대원군의 쇄국정책을 표방한 안하무인(眼下無人) 후안무치(厚顔無恥)의 심사(心思)가 구구절절 스며들어 있음을 감지케 된다. 아니나 다를까, 러시아의 침입을 물리치기 위해 처음엔 천주교 주교들을 이용하려 했던 대원군은 그 일이 잠잠케 되고 또한 청국으로부터 모든 서양 사람들을 죽였다는 소문이 들어옴에 따라 일찍부터 천주교를 미워하던 벽파(僻派)의 조대비(趙大妃)를 싸고 도는 영의정 조두순의 책동에 못이겨 마침내 고종3년 병인년(1866년)에 접어들면서 천주교에 대해 모진 박해를 가하게 되었으니, 바야흐로 천주교 박해의 절정을 이루었던 병인교난(丙寅教難)의 서막이 오르고 있었던 것이다. 프랑스 역사가 달레(Dallet)가 쓴 '조선천주교회사' 에는 당시의 상황이 이렇게 묘사돼 있다.

> 슬프도소이다. 이 편지를 쓰고 있는 순간(1866년2월10일 음력12월25일) 조선정부는 주교와 신부와 모든 교우를 다 없이하려고 결정하였나니, 대원군은 주교와 신부를 죽일 문서에 수결(手決)을 놓고 모든 천주교도를 잡아 죽이라고 명하게 되었도다.

토마스목사, 그대는 조선에서 벌어지고 있는 위급한 상황을 아시나 모르시나. 아마 그대는 '아주 잔인하고 사악한 대학살이 최근 조선에서 일어났다' (A foul and wicked massacre has recently taken place in Corea.)고 마지막 편지의 서두에서 밝혔고, 두분 주교와 일곱분 신부가 이미 조선땅에서 무참히 목 베임을 당한 사실도 빤히 알고 있었소이다. 그럼에도 불구하고 토마스목사, 그대는 바로 그 마지막 편지 말미에 조선땅을 향해 떠나겠노라, 비장한 결의를 이렇게 천명하고 있지 않았던가.

> 그럼에도 불구하고, 애드킨스씨(LMS북경지부장)와 다른 모든 선

사형장으로 끌려가는 서양 선교사

교사를 대표하여 한 개신교 선교사로서 (내가) 그 나라(조선)에 가는 것이 매우 중요하다는 것을 알기 때문에 그 땅을 찾아가기로 결정했으며, 이러한 나의 방문을 통해 이 나라 수도(서울)에서 우리들의 선교사역에 아주 유익한 영향을 미칠 것을 기대해마지 않습니다.(But representations of Mr. Edkins and all the other missionaries, of the importance of a Protestant Missionary presenting himself in the country at once, led me to take a step which may subsequently exercise a most beneficial reflex action on our mission in the Capital.)

Chapter 11

대동강 거슬러 평양까지

대동강에 나타난 제너럴셔먼호

1866년 6월 28일(음력) 중국 산동반도의 지푸항을 떠난 제너럴셔먼호는 7월 7일 평안도 용강현 주영포 대동강 입구에 그 모습을 드러낸다. 고종태황제실록(高宗太皇帝實錄) 병인(丙寅 1866년) 7월 15일조(條)에 최초로 토마스목사에 관한 기록이 나타나고 있다. 평안병사(平安兵使) 이용상(李容象)이 용강현령(龍岡縣令) 유초환(俞草煥)의 치보(馳報)에 따라 문정(問情) 하였는데, 이 배는 평양으로 올라가는 길이라 하였으며 황해감사 박승휘(朴勝輝)의 장계(狀啓)에 따르면 최란헌(崔蘭軒)이 상좌에 앉아, '우리 말을 해석함에 있어 혹은 통변이 되고, 혹은 통변이 어렵더라' (稱解我國語或可辨或不可辨) 바로 이 대목에서 조선어를 어느 정도 통변할 수 있었던 좌상의 최란헌이라는 한문 성함을 가진 서양사람이 결국 제너럴셔먼호 통역사 임무를 맡았던 토마스목사였던 것으로 확인되고 있다. 뿐만 아니라 왕조실록은 토마스목사의 모습을 소상하게 기록해 놓고 있는 것을 보게 된다.

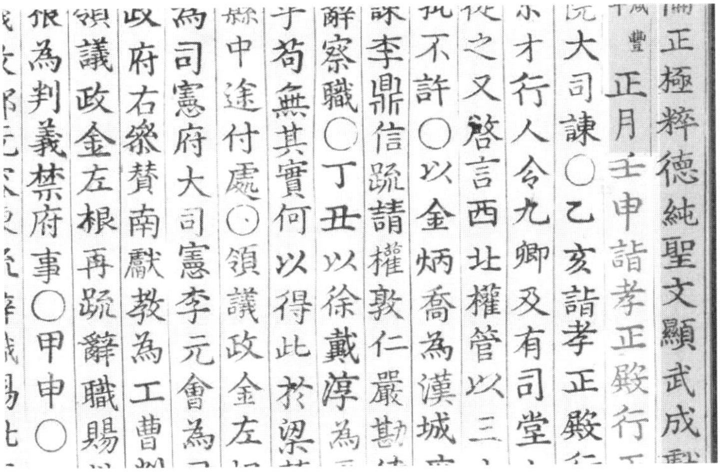
正極粹德純聖文顯武成
豐 正月壬申詣孝正殿行
大司諫○乙亥詣孝正殿
才行人令九卿及有司堂
之又啓言西北權管以三
不許○以金炳喬爲漢城
李鼎信疏請權敦仁嚴勘
辭察職○丁丑以徐戴淳爲
苟無其實何以得此於梁
中途付處○領議政金左
司憲府大司憲李元會爲
府右參賛南獻教爲工曹
議政金左根再疏辭職賜
爲判義禁府事○甲申○

토마스의 행적이 일자순(日字順)으로 기록되어 있는 조선왕조실록

崔蘭軒 年三十六 長七尺五寸 面鐵 頭髮黃

(최란헌 나이36세 신장7척5촌 하얀얼굴 머리노란색)

腰有革帶 佩小洋銃及環刀 文職四品 英吉利人也

(허리에 가죽띠를 둘렀는데 권총과 단도를 찼고

4품문관의 영국인이었더라)

필자가 영국 버밍함대학교에서 선교신학박사학위 논문을 쓰고 있을 때, 지도교수는 독일인 우스토프 박사(Prof. Dr. Werner Ustorf)였는데, 이분이 필자의 연구논문을 지도하면서 필자가 제시하고 있는 자료 가운데 왕조실록(王朝實錄) 등 기록에 토마스목사에 관해서 비교적 소상하게 적혀져 있는 것을 보고는 한국민족이 과연 세계 여러 민족 가운데 이처럼 자신들의 역사에 관한 기록을 보존하고 있다는 사실에 놀랐으며, 감탄해 마지 않았던 모습을 기억하게 된다. 이 지구상에 우리처

럼 왕조실록 같은 역사기록을 보유하고 있는 민족이 희귀하다는 것이었다. 이처럼 위대한 민족역사기록 유산을 남겨준 조상들에게 감사하거니와 토마스목사에 관한 기록이 왕조실록에 일자별(日字別)로 아주 소상하게 남아있다는 사실이 경이롭기만 한 것이다.

더욱이나 그 당시, 쇄국정책으로 나라의 빗장을 꽁꽁 잠가놓고 있던 조선왕조이고 보면 비록 27살이었던 청년 토마스목사를 36세의 장년으로 묘사해놓았다는 것은 오히려 애교라고 보아넘길 수 있지 않겠는가. 그런데 문제는 그가 분명히 '선교사' 라고 하는 신분으로 조선땅을 밟았다고 하는데, 어쩌자고 권총과 단도로 무장을 하고 있었다는 사실(事實)이 기록으로 분명하게 남아있는 것이다. 이 같은 사실(史實) 앞에 우리는 당황하지 않을 수 없다. 이 문제는 역사해석(歷史解釋)이라는 자못 간단치 않은 문제가 거론되는 사항이거니와, 그때가 19세기였던 지라 그 당시에는 자위수단(自衛手段)으로 무장하는 것이 일반적이었다는 사실을 당시의 상황으로 이해하고 해석해야 한다는 것이다. 그것은 별도로 깊은 논의가 필요한 사안이거니와, 아무튼 토마스목사는 제너럴셔먼호의 통역사로 조선을 찾아왔다는 사실을 왕조실록은 분명하게 증언해 주고 있는 것이다.

'가던 날이 장날'

1866년 7월 11일(음력) 제너럴셔먼호는 평양성에 가까운 초리방(草里坊) 사포구(沙浦口)에 까지 접근하게 된다. 우리 속담에 '가던 날이 장날' 이라 했는데, 마침 이날은 근처 태평시장 장날이었던지라 이미

耶穌降世一千八百五十八年

新約全書

江蘇松江上海墨海書館印

토마스선교사가 전해준 성경을 받고 칠동교회 설립자가 된 홍신길

대동강에 '이상한 모양의 배'(異樣船)가 나타났다는 소문이 파다했으므로 장을 보러 나왔던 사람들이 제너럴셔먼호를 보려고 대동강으로 몰려와 인산인해를 이루게 되었다. 그 가운데 당시 19세의 홍신길(洪信吉)이라는 청년이 있었다. 이상한 배에 넋을 잃고 있던 그는 구레나룻 수염에 이상한 풍모를 한 서양사람으로부터 그 배에 오르도록 초청을 받았는데, 그가 바로 토마스목사였다고 증언하고 있다. 토마스는 홍신길을 안내, 선실을 구경시키고 다과를 대접했으며 책 한권을 선물로 주었다. 그 책을 동네 훈장에게 보였더니 그게 바로 천주학 책이라고 하면서, 그것은 금령(禁令)으로 돼 있는 서적이니 속히 버릴 것을 종용, 강물에 내던져 버렸다는 것. 그후 여러 해를 지나 그는 교인이 됐고, 대동군 용산면 하리에 칠동교회(七洞教會)를 설립했으며, 그를 찾은 기자(記者)에게 이렇게 증언했다는 것이다.

내가 성경을 받기는 지금으로부터 63년전 병인년 포리(浦里)에 살던 때였는데, 그때 토마스목사로 부터 그 책을 받았습니다. 하나님께서 지금 81세의 늙은 것을 아직도 이 땅에 남겨두신 것은, 아마도 토마스목사님의 전도사적(傳道事績)을 증거하라 하심인가 보외다.

위에서 '기자' 라 함은 1927년 5월 8일 평양에서 창립된 '토마스목사순교기념회' (회장 마포삼열 선교사) 총무였던 오문환장로를 가리킨다. 그는 당시 평양숭의여학교에 재직중이었던 영어교사로서 토마스목사의 순교사적을 탐방, 그때까지 생존했던 200여명 증인들로부터 토마스목사에 관한 생생한 증언을 청취하고 자료들을 수집, 최초로 토마스목사를 역사무대에 재현시켰던 공로자. 그가 집필했던 '나의 작은 책' (My Little Book)이라는 별명이 붙어있는 '도마스牧師傳' 을 필자가 예일대학교 도서관((The Day Mission Library)에서 찾아냈다는 사실은 이미 밝혔거니와, 오문환장로야말로 특별한 사명감을 가지고 토마스기념사업에 평생토록 헌신했던 인물이었다. 필자는 그의 업적을 기리고 그가 수집한 토마스목사에 관한 자료의 잔존여부를 확인키 위해 서울지역에 생존해 있는 것으로 알려져 있는 그의 후손을 수소문하고 있는 바, 아직 필자의 안테나에 종적이 잡히지 않고 있는 형편 — "자랑스런 후손들이여, 감잡았으면 응답하라. 오우버!"

토마스 만난 지씨일가(池氏一家)

토마스목사를 태운 제너럴셔먼호가 사포구에 머물렀던 그때, 대동군 남곶면 부포리에 지달해(池達海)가 살고 있었다. 그는 그 얼마전 서울에서 영세를 받고 천주교에 귀의, 일가친척들에게 전교하여 일가족이 신자가 됨으로써 대원군의 박해가 지씨가문에 시시각각 닥쳐옴으로써 극도의 위기감을 느끼고 있던 처지. 그리하여 당시 많은 천주교인들이 그러했듯, 언제 프랑스가 함대를 파견하여 자신들과 같은 천주교도들을 구원해 줄 것인가, 매일 고대하고 있던 차, 대동강에 이상한 서양배가 출현하자 즉각적으로 이 배를 프랑스함대가 파견한 배로 간주했던 것이다. 이에 지씨일가는 암암리에 대대적인 프랑스함대 환영절차를 논의하게 된다. 그들은 의관정제(衣冠整齊)하고 자기 마을의 명물이라고 여기는 수박을 백여 개 갖고 가기로 작정한다. 그러나 아무래도 오해받을 염려가 있겠다 싶어 어부로 변장, 그물 속에 수박을 숨겨 갖고 가려했다는 것. 그리하여 지달해를 위시하여 달수(達洙) 달유(達裕) 달조(達潮) 달제(達濟) 등 10여명이 밤중에 제너럴셔먼호를 찾아갔다는 것이다. 그들은 토마스목사의 정중한 영접을 받았는데, 다과를 대접받았고, 지필묵(紙筆墨)을 꺼내 필담(筆談)으로 신앙문제에 관해 깊은 이야기를 나눌 수 있게 된다. 그들은 또한 토마스목사로부터 성경과 전도서적, 영국의 은화(銀貨) 등을 선물로 받았는데, 은전에 그려져 있는 여인상(女人像)을 마리아로 여겨 경배하는 해프닝을 연출하기도 했는데, 실상은 당시 영국 빅토리아 여왕의 초상이었던 것이다.

지씨일가 천주교 신자들이 은밀히 제너럴셔먼호에 승선, 서양사람들과 담소하고 서책을 받아왔다는 소문이 마을에 퍼지게 되자 관헌들은 그들을 체포했으며, 달조 달제 학상 등은 4개월 후에 방면되고 달유는 옥중에서 사망했으며, 달해 달수는 그해 12월 16일 평양 보통문 밖에서 참수되기에 이른다. 토마스목사를 만났다가 참변을 면치 못했던 지씨일가의 기구한 운명이여. 이들의 죽음은 한국교회 순교역사에도

제너럴셔먼호 침몰현장에서 건져올린 쇠밧줄

변변히 알려져 있지 않은 수난사의 한 장면인 것이다.

먹구름 뒤덮인 평양성

이러저러한 사연을 안고 제너럴셔먼호는 대동강을 거슬러 올라가 평양성 만경대(萬景臺)에 이르게 된다. 이에 평양 서윤(庶尹) 신태정(申泰鼎)은 조선이 외국과의 통상은 물론 서교(西教)를 엄히 금하고 있기 때문에 물러갈 것을 종용하기에 이른다. 아울러 제너럴셔먼호가 황주(黃州)를 지나오면서 구득하였던 식량이 바닥이 났으므로 원조를 청했고, 이에 평양성에서는 식량과 육류 및 연료등을 공급해 주는 너그러움을 보여주기도 했다.

그러나 제너럴셔먼호는 소형 보트에 선원 6명을 탑승시켜 대동강물의 수심을 측정하는 한편 점점 더 상류로 접근, 만경대 아래 두로섬(豆

老島)에 정박하게 된다. 이로써 평양성의 군관민은 크게 자극을 받아 극도로 흥분, 일촉즉발의 위기상황이 조성된다. 바야흐로 평양성 대동강변엔 평양성과 제너럴셔먼호 사이에 일대 결전이 벌어질 것으로 보여지는 위기가 조성되고 있다. 짙은 먹구름, 전운(戰雲)이 뒤덮이고 있는 것이었다.

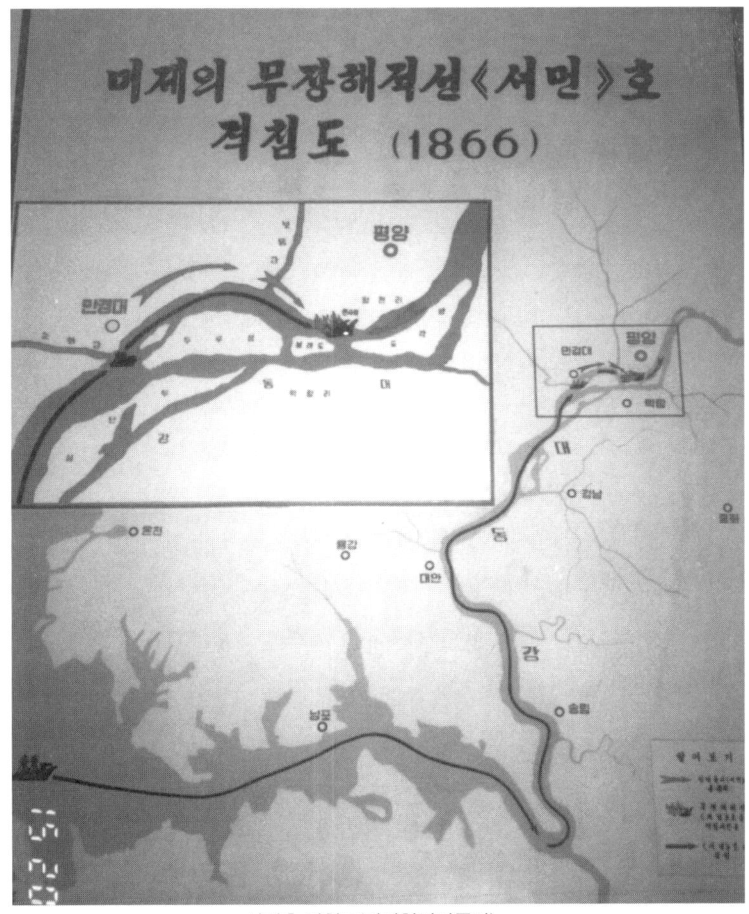

셔먼호 격침도(평양혁명박물관)

Chapter 12

한 많은 대동강아

석호정(石湖亭)에서

대동강을 거슬러 올라와 평양성에 나타난 제너럴셔먼호의 행적에 대한 조선측 기록인 왕조실록 병인년 7월 22일자에 의하면, 당시 평안감사였던 박규수(朴珪壽)가 서윤 신태정의 19일자 치보에 근거해서 올린 장계에 나타나 있다. 이에 따르면, 이양선 한 척이 한사정(閑似亭) 상류로 올라갔다는 것. 12일 밤에는 푸른색 작은 배에 6명이 타고 대동강 뱃길의 수심을 측량하면서 평양으로 접근했다가 날이 저물어 본선으로 돌아갔다. 그날 제너럴셔먼호는 상류쪽으로 약간 더 거슬러 올라가 석호정(石湖亭) 아래에 머무르게 된다. 이에 평양 시민들은 이상한 모양의 배가 평양성에 출현함으로써 이 배를 구경하기 위해 대동강변으로 몰려든다. 오문환장로에 따르면, 이때 토마스목사는 강 언덕에 올라 성경 등 신앙서적을 반포, 전도활동을 펼쳤다는 것이며, 그 구체적인 열매를 이렇게 밝혀주고 있다.

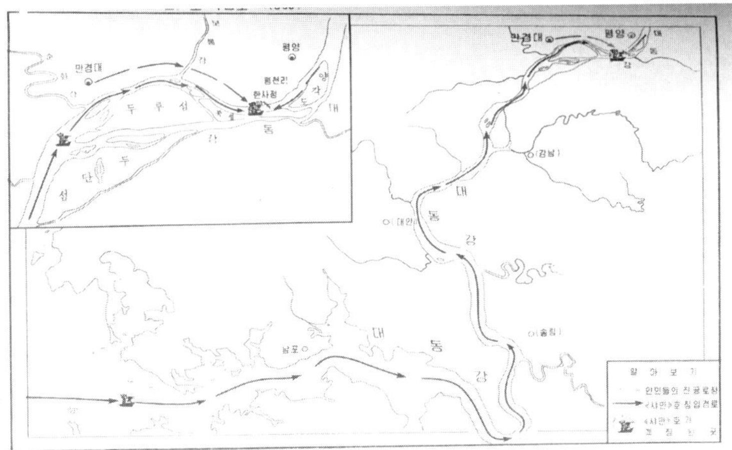

제너럴셔먼호 진입 경로(조선전사)

그때에 大同郡 南串面 猿岩里에 거주하는 金永燮 씨라는 一靑年이 有하였는데 거기 구경하려고 나아갔다가 도마스牧師의게 約四五卷의 書籍을 엇어가지고 歸家하였다. 그는 본래 漢學者인지라 其書籍이 非凡함을 發見하고 每日 耽讀하는 중에 其敎訓이 참으로 信從할만한 것으로 알고 其後 天道敎에 入敎한 자기의 子弟 宗權씨를 권하야 天道敎를 中止하고 그리로 歸化하라고 하였다 한다. 그의 勸勉으로 인하여 종권씨도 信者가되고 其親戚 되는 金成集씨도 信者가되었는데 宗權씨는 다년간 大同郡 南串面 大松里敎會와 平壤西城里敎會의 助事로 視務하엿스며 金成集은 多年間 江西沙川敎會의 長老로 熱心視務하다가 幾年前에 別世하였다. 그때에 밧은 書籍中에는 聖經외에 '眞理易知'(Easy Introduction to the Truth)와 如한 傳道書籍도 잇섯다고 한다.

만경대(萬景臺)에서

8월 22일(음력7월13일) 제너럴셔먼호는 평양 만경대 밑 두로섬(豆老島) 앞에 정박하게 된다. 이에 평안감사 박규수(朴珪壽)는 제너럴셔먼호의 공격에 대비, 만경대에 진지를 구축하였고, 군관들은 조선 군민들에게 서양사람들과 결코 거래하지 말도록 엄히 경고를 발한다. 그러구러 8월 늦장마철을 맞아 비는 계속 내려 강물은 홍수로 범람, 대동강물이 엄청 불어남으로써 대동강의 수심이 깊어져 제너럴셔먼호의 항해는 자유롭게 됐고, 조선의 보잘 것 없는 작은 배들은 홍수에 무력해져 항해할 수 없어, 그저 먼 발치에서 강 건너 불 보듯 제너럴셔먼호의 활동을 관망할 수 밖에 없는 처지였던 것이다.

그러나, 8월 초순부터 내리기 시작한 장마비는 중순을 넘어서면서 어느새 개이기 시작, 대동강의 수위가 급속하게 줄어들어 조선의 열악한 선박들도 대동강에 그 모습을 드러낼 수 있게 된다. 강원모교수는 '근대한미관계사' (한미전쟁편)에서 비교적 자상하게 제너럴셔먼호의 활동 상황을 밝혀주고 있다. 8월 27일(음력7월18일) 제너럴셔먼호는 한탄(閑灘)에 정박, 다시 보트에 선원6명을 태우고 한사정 상류쪽으로 거슬러 올라가기에 이른다. 이에 평양순영(平壤巡營) 중군(中軍) 이현익(李玄益)이 작은 경비정을 타고 그 배를 추격하다가 도리어 저들에게 붙잡히게 되는 불상사가 발생하기에 이른다. 이에 서윤 신태정을 비롯한 군관들이 제너럴셔먼호에 접근, 중군의 석방을 요구했으나 그들은 돌려보내지 아니하고 더욱 난폭한 행동을 벌이게 되었던 것. 뿐만 아니라 우리 기록에 따르면, 제너럴셔먼호 측에서는 쌀 1천석, 다량의 금은 인삼 등을 제공해 준다면 중군을 석방해 주겠노라, 공갈과 협박을 서슴지 않았다는 것이다.(又曰 米一千石及 金銀人蔘多數遣 然後可以解去也)

황강정(黃江亭)에서

8월 28일(음력7월19일) 제너럴셔먼호의 기세는 더욱 방자해졌고, 자신의 화력이 조선인들 보다 우세하다는 것을 간파, 평양성의 군관민을 업수히 여기기에 이른다. 그들은 더욱 더 대동강 상류쪽으로 오르면서 대포와 소총을 마구잡이로 쏘아제키면서 마침내 황강정(黃江亭) 앞에 이르러 정박하게 된다. '오는정 가는정' 이라 했던가. 아니, '오는 말이 고와야 가는 말도 곱다' 했던가. 이에 평양성 군관민들도 점차 흥분하기 시작했으며 대동강 언덕엔 제너럴셔먼호의 동태를 주시하고 있는 주민들로 인산인해를 이루게 됐다. 그러나 제너럴셔먼호는 이러한 평양성민들의 격앙된 분위기에도 아랑곳하지 않고 또다시 5명의 선원을 보트에 태워 수심을 측량하면서 상류로 접근하는 것 아닌가. 이를 어찌 강건너 불인양 바라만 볼 수 있으리요. 게다가 본래부터 박치기로 유명한 평양사람들 아니던가. 그러나 그들이 고작 동원할 수 있었던 것은 돌팔매질이거나 작대기를 내던지고 활 따위를 쏘아대는 것뿐이요, 기껏 위력있는 화력이라는 것이 고작 함경도 호랑이 사냥꾼의 지원을 받는 엽총 정도였으니, 얼마나 한심한 일이런가. 그것은 마치 성서에 나오는 골리앗 앞에 선 다윗과 같은 형국이라 할 것이었다. 그때 퇴교(退校) 박춘권(朴春權)은 용감하게도 제너럴셔먼호에 단신 접근, 억류됐던 중군 이현익을 구출하는데 성공하게 된다. 그러나 제너럴셔먼호의 행패는 극도에 이르렀으니, 8월 31일(음력7월22일) 대동강을 오르

내리는 작은 우리 배들에게 대포를 들이대고 소총을 쏘아대면서 양식과 연료 및 반찬거리를 약탈하기에 이른다. 이 총격전에서 조선군인 7명이 살해되고 5명이 부상을 입게 된다. 바야흐로 일촉즉발 확전위기(擴戰危機)로 치닫고 있는 것이다.

어전회의(御前會議)

제너럴셔먼호의 대동강 출현과 그 동태는 즉각적으로 조선의 중앙정부에 보고되는 것은 물론이려니와 조정에 깊은 우려를 끼쳐주고 있었던 것. 이민식교수는 '한미관계사연구'에서 9월 4일(음력7월25일) 희정당(熙政堂)의 어전회의 광경을 이렇게 재현시켜놓고 있다.

> 이경재: 상감마마, 외국 배는 옛날부터 조선연안을 항해할 권리가 있사옵니다. 그러나 내수(內水)에 들어온 것은 이번이 처음이며 그들의 태도는 실로 유감스럽습니다. 강화에 정박했던 서양배들은 다 떠나갔으나 평양에는 외국배가 그대로 남아있어 우리들에게 불안과 놀라움을 만들어 주고 있습니다.
>
> 고 종: 실로 그러하오. 어떠한 서양 배도 옛날에 내수에 들어온 적이 없었노라. 비록 저들이 조선연안을 항해한 적은 있었지만.
>
> 김병학: 실로 이번과 같은 사건은 초유의 일이옵니다.
>
> 고 종: 이렇게 된 것은 우리들이 서양사람들을 너무 관대히 대한 탓이렷다.
>
> 조두순: 과연 그렇습니다.
>
> 고 종: 팔도에 영을 내려 비겁한 양인을 엄히 경계토록 할찌어다.

Chapter 13

토마스목사의 최후

대치(對峙)

제너럴셔먼호가 대동강을 거슬러 올라와 평양성에서 대치하게 된 사건은 조선의 조야에 비상한 관심과 심각한 문제를 야기케 된다. 쇄국정책(鎖國政策)을 통치이념(統治理念)으로 표방하고 있던 흥선대원군(興宣大院君)에게 있어선 도무지 묵과할 수 없는, 이른바 서양 오랑캐의 만행이 아닐 수 없는 것이었다. 대원군은 이양대선(異樣大船)의 내강침입(內江侵入) 보고에 접하여, 이는 국권의 절대모욕(絕對侮辱)이요 천주교박해에 따른 프랑스정부의 의도적보복(意圖的報復)으로 간주하기에 이른다. 그는 제너럴셔먼호의 중군 이현익 억류사건과 조선인들로부터 식량과 땔감 등을 강제로 탈취하는 과정에서 대포와 소총을 난사하며 피아간 총격전이 벌어져 조선군민 7명이 살해되고 5명이 부상을 입는 사태에 극도로 격앙하게 된다. 일성록(日省錄) 병인(丙寅1866년) 7월 15일조에 밝혀지고 있는 평안감사 박규수의 장계를 살펴본다.

執留中軍 終又傷害人民 何可一任猖獗乎
(중군을 붙잡아 역류하더니 이제는 마침내 백성들에게
상해를 입히니 어찌 미쳐 날뛰는 저들을 가만 놓아둘 수 있으리요)

월등히 우세한 화력으로 일거에 평양성을 제압할 수 있겠다 싶었던 제너럴셔먼호. 의외로 완강히 버티는 조선사람들에게 은근히 겁을 집어먹게 된다. 대포 앞에 활로 맞서 의연히 싸웠던 평양성민들. 저들이 쏘아댄 화살이 목선인 제너럴셔먼호에 박혀 그 배의 모습이 마치 '고슴도치' 같았다는 것이다. 또한 총수(銃手) 김봉조(金奉調)는 총격으로 제너럴셔먼호 승무원 가운데 한명을 거꾸러뜨리는 전과도 올리게 된다. 이러구러 평양성과 제너럴셔먼호 양측의 숨막히는 대치가 여러날 계속된다. 그러는 동안 늦장마도 멎게되고 불어났던 대동강물도 수위가 점차 내려감으로써 제너럴셔먼호는 당황하게 된다. 그들은 서둘러 뱃머리를 하류쪽으로 돌리기에 이른다.

그러나 이미 때가 늦은 것일까. 9월 2일, 그들은 사태가 심각하다는 사실을 뒤늦게 깨닫고 야음(夜陰)을 틈타 배를 선회, 평양성 탈출을 꾀한다. 그러나 이것이 어쩐 일인가. 설상가상으로, 그날밤 따라 짙은 안개가 대동강을 덮었고, 가뜩이나 수심이 낮아진 대동강에서 무리하게 탈출하려다 그만이야 배가 모래톱에 좌초하는 불상사가 벌어지게 된다. 1866년 9월 2일 밤중, 평양성 앞 대동강 방수성(防水城)에서 벌어진 전혀 예기치 못했던 돌발사태였던 것이다.

"내 고향으로 날 보내주!"
토마스가 태어난 고향 라야 더(Rhayader) 가는 길

최후명령

대원군은 마침내 최후명령을 하달한다 — "몰살시키라!" 대원군의 명령을 하달받은 평안감사 박규수는 즉각 화공(火攻)에 의한 박멸작전(撲滅作戰 kill all on board and burn the ship)을 수행하게 되는데, 억류됐던 중군을 단신으로 구출해 냈던 퇴교 박춘권이 현장 지휘관으로 발탁된다. 박규수가 이른바 '양이박멸작전'(洋夷撲滅作戰 extirpation of these foreign savages)으로 채택한 비상전법은 바로 화공법(火攻法). 9월 4일(음력7월26일), 그들은 거룻배 2척을 한데 묶어 그 위에 바싹 마른 솔가지 더미를 실어놓고 유황(硫黃 sulphur)을 뿌린 다음 배에 화약을 장전해 놓고는 도화선을 늘어뜨리곤 배를 밧줄로 묶어 강 언덕에서 조종하도록 한다.

불타는 제너럴셔먼호

9월 5일 이른 새벽, 먼동이 채 밝아오기 전, 아직 안개 자욱한 대동강, 모래톱에 걸린 선체를 빼돌려 탈출하려고 안간힘을 쓰고 있는 제너럴셔먼호를 향하여 화약을 실은 거룻배가 상류로 부터 흘러내려 소리없이 다가서고 있는 것 아닌가. 시시각각 제너럴셔먼호에 죽음의 그림자가 덮쳐오고 있는 것이다. 토마스목사를 비롯하여 24명 선원들에게 최후의 순간이 다가오고 있는 것이었다. 마침내 거룻배가 셔먼호에 부딪쳤고, 불을 실은 화살이 시위를 떠나 화약에 연결된 도화선에 불이 당겨졌다. 순간, 당당하고도 오만방자하게 버텨왔던 제너럴셔먼호에 불이 옮겨붙기 시작했고, 화염에 휩싸이면서 급기야 화약고가 폭발하기에 이른다. 일성록(日省錄) 병인7월 27일 미계조(未癸條)에 당시의 위급했던 상황을 이렇게 묘사해 놓고 있는 것을 보게 된다.

> 平壤所泊 異樣船 益津猖狂 轟砲放銃 殺害我人 其所制勝之策 莫先火攻一齊防火 燃燒彼船 (평양에 정박했던 이양선, 갈수록 더욱 미쳐 날뛰어 대포를 쏘아대고 총을 쏘아 우리 백성들을 살해하나니 그 기세를 누를 수 있는 방책은 오로지 화공으로 그 배를 불태우는 것 뿐이렷다.)

최후기도

제너럴셔먼호에 불이 붙자 승무원들은 저마다 대동강 물에 뛰어들었고, 강물 속을 허우적이다 익사하기도 했고, 더러는 강 언덕에 간신히 기어오른 순간, 성난 평양성민들에게 무참히 살해되는 운명을 면치 못했던 것이다. 또 더러는 불타오르는 뱃속에서 빠져나오질 못하고 화염에 휩싸여 질식해서 죽었는가 하면 불에 태워져 비명 속에 숨을 거두기도 했다. 황망중에도 성경책을 뿌리며 최후순간을 맞았던 토마스목사의 의연한 모습을 오문환장로는 이렇게 기록해 놓고 있음을 본다.

> 도마스牧師는 聖經과 傳道書類를 힘이되는데 까지는 全部傳播코저 努力하엿스나 그만 다 맛초지못하고 火焰에 쫓기여 나리게 되엇다. 나려가면 軍人의게 被殺될 것은 事實인데 最後로 自己의 生命을 빼앗는 軍人의게까지도 福音을 傳하리라 하고 一卷의 聖經을 手中에 잡은後 배에서나려 언덕으로 나아가니 企待리고 잇든 軍人은 어느듯 달려든다. 임의 朝鮮으로 떠날 때부터 豫測하고 決心한 것이매 무삼 意外의 일이되며 무삼 무서움이 잇섯스랴! 도로혀 仁慈한 態度로 죽이려는 軍人의게 聖經밧기를 勸하매 其軍人도 亦是人情이 잇는지라 들엇든 칼을 暫間멈추엇다. 그동안 도마스牧師는 두 무릅을 沙場에 꿀고 머리를 숙여 땅에 대인 後 얼마동안 最後의 祈禱를 올니고 다시 니러나서 軍人의게 聖經밧기를 勸하엿스나 其軍人은 그의 말을 充分히 理解치 못하엿슬것도 事實이려니와 環境이 그것을 許諾지 안는지라 맛참내 칼을 그 가삼에 대여 하나님의 忠僕 도마스牧師의 貴여운 生命을 빼앗고말았다.

고종태황제실록(高宗太皇帝實錄) 병인 7월 27일조는 토마스목사의 최후를 이렇게 기록해 놓고 있다.

彼人 崔蘭軒 趙凌奉 跳出船頭 始請求生 卽爲擒 縛致岸上矣 軍民憤念?會他殺 其餘殘滅 無遺

(최란헌 조능봉, 뱃머리에 올라와 살려달라고 애걸하되 즉시 붙들어 강언덕으로 끌어올리울새 군인들과 백성들이 일제히 분에 못이겨 모두 달려들어 때려죽였거니와 나머지 또한 모조리 처치하였나니 아무 것도 남겨진 것이 없었더라.)

평안감사 박규수의 제너럴셔먼호 최후에 대한 결과보고가 왕조실록 병인 8월 8일조에 다음과 같이 실려 있는 것을 보게 된다.

大碗口小碗口各二佐 大碗口丸三個 鐵二個 大小 鐵連環索一百六十二把 西洋鐵千三百斤 長鐵二千二百五十斤 雜鐵二千一百四十五斤

(큰대포 작은대포 각 2문, 큰 대포알 3개, 쇠뭉치 2개, 크고 작은 쇠사슬 162묶음, 서양쇠 1,300근, 긴쇠 2,250근, 잡쇠 2,145근)

이 가운데 대포와 쇠사슬이 지금 평양박물관에 보존돼 있다는 피맺힌 소식을 우리는 조선전사(朝鮮全史)를 통해서 확인케 되면서, 문득 두고 온 산하가 그리움으로 다가온다. 결국 슈벨트 작곡 미완성교향곡(未完成交響曲)처럼 끝나버린 필자의 학위논문이거늘, 언제쯤이나 토마스목사의 순교현장인 평양 대동강을 찾아가 학술연구를 위한 자료를 수집, 확인할 수 있으려는지. 그리하여 토마스목사의 발자취를 찾아 떠난 순례를 마치고 완성교향곡으로 만들어볼 수 있겠는지. 토마스목사, 그대는 우리 조선민족을 위해 한민족의 제단에 바쳐진 향기로운 제물이었어라.

한 알의 밀이 땅에 떨어져

죽지 아니하면 한 알 그대로 있고

죽으면 많은 열매를 맺느니라 (요한복음12장24절)

토마스목사의 최후(혜촌 김학수 화백)

Chapter 14

토마스목사에 관한 자료들

'도마스牧師傳'

1996년 5월 24일 오후3시 서울묘동교회. 토마스목사의 발자취를 따라 순례길에 나선 필자는 서울 땅에서 또 하나의 감격어린 해후를 경험했다. 바로 그 교회의 장로로 시무하고 있는 오성식박사를 만나게 된 것. 그는 토마스목사에 관해서 최초로 책을 펴내 역사무대에 등장시켰던 오문환장로의 차남. 그는 묘동교회80년사를 집필했으며, 부친의 유업을 이어받아 한국교회사의 정립을 위해 역사자료의 발굴과 보존 등에 남다른 심혈을 기울이고 있는 인물이다. 특히 선친이 수집했던 토마스목사에 관한 진귀한 자료를 다량 수장하고 있는 바, 부친의 생애를 정리 집필할 계획이며 비장의 자료들을 보존 전시키 위해 선친의 묘소가 있는 경기도 용인에 한국교회사 연구센터를 건립할 계획이라고 한다.

오성식장로가 수장하고 있는 자료 가운데에는 필자가 천신만고 끝에 미국의 예일대학교 도서관(The Day Mission Library)에서 찾아낸 '나의 작은 책'(My Little Book)이라고, 저자인 오문환장로가 별명을 붙여놓은 '도마스牧師傳'이 포함돼 있음은 물론이다. 이토록 가까운 곳에 그토록 희귀한 책이 있을 줄이야. 그러기에 '등잔 밑이 어둡다' 했던가? 필자는 토마스목사에 관한 연구논문을 영국의 버밍함대학교에서 집필하면서 해외에 흩어져 있는 자료들을 수집하느라 토마스목사의 발길이 닿은 곳마다 샅샅이 찾아 다녔는데, 막상 국내에 숨어있는 보물들을 간과(看過)했었던 것 같다. 필자가 영국의 토마스 유족을 통해 입수한 자료들 가운데 '대동강의 뱃놀이'로 간주했던 진귀한 사진 가운데 한장, 그것이 실은 단순한 뱃놀이가 아니라, 사실은 토마스목사기념선교회가 선교선(宣教船)을 진수(進水)한 연후에 가졌던 기념퍼레이드였다는 사실도 그를 통해 알게되었다. 또한 평양 대동문에 걸렸던 것으로 알려지고 있는 쇠사슬 사진 역시 오문환장로가 영국 소재 하노버교회에 보냈던 사실도 알게 되었다. 오성식박사를 비롯한 오문환장로의 후손들에게 다시금 깊은 감사를 드리거니와 토마스자료센터가 건립돼 토마스선교사의 생애와 사역에 관한 연구가 더욱 깊이 이루어질 수 있으며, 한국교회에 크게 기여할 수 있기를 바라는 마음 간절하다.

'평양양란'(平壤洋亂)

오문환장로가 '도마스牧師傳' 보다 먼저 집필한 책이 있다는 사실도 확인됐다. 그것은 다소 제목이 긴, 가로12cm, 세로18cm에 30페이지의 단행본이니, 이름하여 '朝鮮基督教史의 一分水嶺인 平壤 洋亂'(A Watershed in the History of the Korean Church). 이 책에는 평양

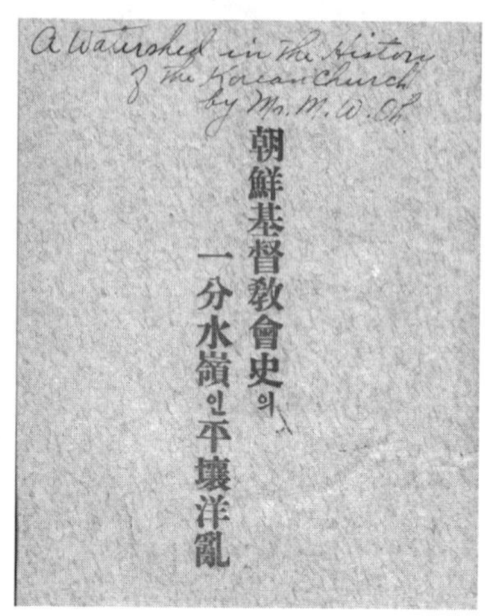

「평양양란」 표지

양란의 2대 유물이라는 설명과 함께 제너럴셔먼호에서 수거한 쇠사슬과 토마스목사를 비롯 승무원들이 처형을 당한 현장에 있었던 것으로 여겨지는 고탑(古塔) 사진과 평양양란전적지도(平壤洋亂戰跡地圖)가 게재돼 있다. 저자는 머리말에서 이 책 발간의 목적을 이렇게 밝혀놓고 있다.

> 1) 평양양란에서 도마스牧師가 殉敎하얏슴.
> 2) 도마스목사는 長老會牧師로 新基督敎 朝鮮宣敎의 先鋒者이엿난대 朝鮮新基督敎 特히 長老敎會의 始祖임.
> 3) 금년(1926년)은 도마스목사의 殉敎第60年 卽 回甲年에 該當함.
> 4) 諸歷史에平壤洋亂의 年代가 誤記되얏슴. 故로 本書를 發刊하야 도마스牧師의 殉敎를 紀念하며 同時에 誤記된 年代를 訂正코져합니다.

역시, 토마스목사를 역사무대에 올려놓고 그의 순교정신을 한국교

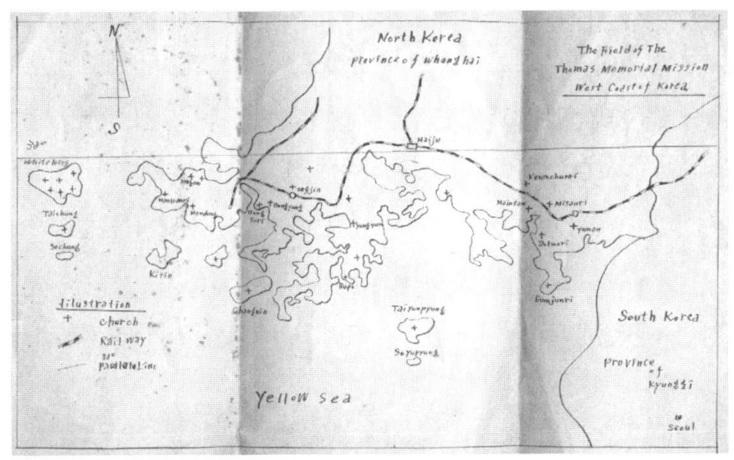

NLL 분규현장 서해안 선교 약도(토마스선교회 1930년대)

회가 계승 발전시키도록 도모했던 오문환장로의 비전이 이 책 속에 촉촉히 배어있음을 느끼게 된다. 그러나 어찌하여 토마스목사를 '장로교회 목사' 로 단정하고 있는지에 대한 명쾌한 부연설명이 아쉽다. 토마스목사는 초교파선교단체 런던선교회(London Missionary Society) 소속 선교사로 활동했지만, 본래 회중교회(會衆敎會 Congregational Church) 목사였던 것이다.

오문환(吳文煥)장로

토마스목사를 한국교회의 역사무대에 처음 올려놓았던 오문환장로. 그는 1903년 평양 조왕리에서 출생했으니, 그곳은 바로 토마스목사가 최후를 맞았던 대동강 부근. 어려서부터 한학과 일본어를 익혔으며 마포삼열 선교사로부터 영어를 배웠다. 1921년 평양숭실중학교를, 1925년엔 숭실대학교를 졸업했다. 그해부터 숭의여학교에서 그 학교가 폐

쇄될 때까지 역사 영어교사로 봉직했으며 1929년부터는 평양장로회신학교에서 영어를 가르치기도 했다. 1926년 승동교회에서 개최된 대영성서공회 한국선교 30주년 및 밀러총무 근속25주년기념식에서 토마스목사순교 60주년기념식을 병행하여 거행, 토마스목사기념전도회를 발족시켰다. 1927년에는 숭실대학에서 마포삼열 선교사를 회장으로 한 토마스목사순교기념전도회를 창설하기도 했다. 그는 총무로서 기념사업을 관장했는데, 다음과 같은 사업을 추진하는 데있어 주도적 역할을 감당했다.

1) 토마스목사 전기 출간
2) 기념예배당 건축
3) 전도사업 추진 등등

그 결과 1928년 도마스牧師傳을 출간했으며, 1932년에는 토마스목사 순교지 부근인 대동강변 조왕리에 토마스목사순교기념예배당을 건립했다. 그리고 1935년에는 해상전도를 위해 복음선교선 '토마스호'를 건조, 대동강 상하류뿐 아니라 연평도에 이르기까지 복음을 전했던 것이다. 한편 오문환장로가 집필한 토마스목사 관련 및 초기 선교에 관한 출판물 등은 다음과 같다.

- 韓國基督教의 一分水嶺인 平壤洋亂(신기사, 평양, 1926)
- 도마스牧師傳(도마스목사순교기념전도회, 1928)
- 史蹟探訪教會巡禮記(도마스목사순교기념전도회, 1955)
- 사단법인 도마스牧師殉教記念會25年史要(1961)
- 위리암스博士傳(1953)

- 로스牧師傳(1955)
- 한석진牧師傳
- 서경조牧師傳
- 大同江口의 十字架
- 매티어牧師傳(영문)
- The Two Visits of the R. J. Thomas to Korea (Royal Asiatic Society, 1932)

토마스목사의 순교를 기리고 있는 하노버교회 성도님들(1995년)

〈특 별 좌 담〉

토마스목사의 발자취를 따라

일　시 : 1996년 5월 25일 오전8시

장　소 : 장로회신학대학대학교 총장실

참석자 : 방지일 목사(증경총회장 영등포교회 원로목사)

주선애 교수(장신대 명예교수)

김수진 목사(교회사학자 장신대강사)

고무송 목사(사회 / 본사 편집국장)

정　리 : 박만서 차장

고무송: 한국교회사에 서로 엇갈리는 평가를 받고 있는 인물이나 사건들이 여러가지 있는 것 같습니다. 그 가운데 우리가 크게 관심을 가질 수 있는 사안이 바로 토마스목사요 그의 선교사역에 관한 것이 아닌가 합니다. 그러기에 저는 이 사건에 특별한 관심을 갖고 영국 버밍함대학교에서 선교신학박사(PhD) 학위논문으로 정리를 했습니다. 오래전부터 한국교회에서 크게 회자(膾炙)되고 있는 인물이긴하지만, 토마스목사와 그의 선교사역에 관한 자료가 너무 희귀해서, 논문으로 집대성한다는 일은 쉽지 않은 작업이었습니다. 허나 그만큼 보람있고 재미있는 일이기도 했습니다. 한국교회의 숨은 역사를 들여다 본다는 사실이 너무 흥미로웠고, 또한 뜻이 있는 작업이었다고 생각합니다. 마침

대한예수교장로회 총회 기관지인 한국기독공보사 창간50주년을 맞아 특별기획한 '한국교회 여명기를 가다' 에 제가 쓴 논문을 중심으로, 취재 뒷이야기까지 정리해서 발표할 수 있는 기회를 갖게돼 영광이 아닐 수 없습니다. 장기연재를 끝까지 지켜봐 주시고 성원해 주신 독자 여러분들께 감사를 드리며, 여러모로 협조해 주신 귀한 분들을 모시게 되었습니다. 그동안 연재된 글을 보시고 느낀 소감을 말씀해 주시면 고맙겠습니다.

방지일: 우선 고목사님께 감사하다는 말씀부터 전해야 하겠습니다. 제가 평양의 토마스목사님 기념교회가 있던 대동강 주변에서 목회를 했던 한 사람으로써, 토마스목사에 대한 깊은 연구를 하셨다는 것에 대해 누구보다도 반갑고 고맙습니다. 그러나 하나 우려되었던 것은, 과연 한세기 이상 지난 오늘날 토마스목사에 대한 자료가 있을까 하는 것이었습니다. 더군다나 토마스목사에 대해서는 서로 엇갈리는 주장이 있어 이를 정리하는 일 또한 쉽지 않을 것이라고 생각하였는데, 상상할 수 없을 만큼 많은 자료를 수집해서 정리하게 된 것은 오늘날의 한국교회가 이 순교의 역사를 배워야 한다는 하나님의 섭리가 아닌가 생각해 봅니다.

주선애: 하나님께서는 적절한 때에 적당한 인물을 내세우는 것 같습니다. 이번 고목사님의 토마스 연구는 한국교회가 배워야 할 중요한 과제를 시의적절(時宜適切)하게 던져 준 것으로 평가하고자 합니다.

김수진: 최근에 들어서 한국교회가 역사에 대한 관심을 가지게 된 것

같습니다. 특히 고목사께서 우리 교회의 역사를 깊이 살펴보게 된 것은 참으로 다행한 일이 아닐 수 없습니다. 이러한 맥락에서 볼 때, 우리 땅에서 일어난 순교의 역사를 체계화 했다는 것은 가슴 설레는 일이 아닐 수 없습니다.

왜곡된 역사 바로잡는 계기

고무송: 그동안 한국교회가 역사에 관심을 갖지 못했던 것이 현실이라면 이번 토마스 목사의 순교 역사를 살펴본 것이 우리 교회가 역사의식을 갖게되는 밑거름이 될 수 있었으면 고맙겠습니다. 이번 토마스목사에 대한 연구를 하면서 중요한 부분을 차지했던 것은 우선 전세계에 흩어져 묻혀있는 자료를 발굴하는 것이었습니다. 이는 결국 토마스목사에 대한 여러 이견(異見)들을 하나로 모을 수 있을 것이라 확신을 갖게 되었으며 이는 또한 왜곡(歪曲)돼 있는 역사도 바로 잡을 수 있기 때문입니다.

김수진: 토마스목사를 둘러싸고 있는 문제 가운데 최대의 관심이 되고 있는 것은 그가 타고 온 배일 것입니다. 이 제너럴셔먼호가 상선(商船)임에도 무장을 하고 있었다는 것이며, 토마스목사 또한 이 상선의 일원으로 제국주의자들과 함께 왔었다는 것입니다. 그러나 이는 이미 한국교회사연구 등과 같은 여러 자료에서 밝혀진 바와 같이, 당시 상선들이 자기 방어를 위해 무장했었던 것으로 이해해야 할 것입니다. 다시 말해 오늘의 시각에서만 당시 상황을 이해하기 보다는, 당시의 상황을 참작해서 생각하는 것이 중요합니다.

고무송: 제너럴셔먼호와 연결돼 있는 토마스는, "과연 그가 선교사인가?"하는 본질적인 문제까지 제기하지 않을 수 없게 한다는 것이 사실입니다., 그러나 토마스목사가 선교사가 되기 까지의 동기, 선교사로 파송받고 중국에서의 사역, 아내의 죽음, 방황, 조선인과의 만남, 조선에서의 천주교박해 등 고난이 예견되는 한반도 상황임에도 우리 땅을 찾아온 과정 등등 모든 것을 선교의 과정으로 이해해야 할 것입니다. 결국 그는 우리 땅에 최초의 개신교 선교사로 찾아와 제물이 되었다는 결론입니다.

방지일: 토마스목사의 선교내용은 한국교회의 초기선교내용에 중요하게 나타나고 있습니다. 후에 목사가 된 이용태목사의 경우, 토마스목사가 전해준 성경으로 벽지를 발랐었다는 일화가 있듯이 이미 선교에 깊게 파고 들었던 것으로 생각됩니다.

주선애: 한가지 재미있는 일이 생각납니다. 북한 사회에서는 토마스목사 사건을 역사의 중요한 사건으로 다루고 있는 것으로 알고 있습니다. 제너럴셔먼호가 불타는 장면을 우표의 그림으로 사용하기도 했습니다. 이러한 결과를 생각할 때 북한에 더 많은 자료가 남아있지 않을까 기대를 하게 됩니다.

방지일: 이번 고목사님의 토마스목사 연구는 한국교회에 하나의 전환점이 될 수 있을 것으로 기대됩니다. 특히 그동안 연구가 부진했던 내용들을 체계화할 수 있는 기회가 되어질 것입니다.

토마스의 순교, 선교의 본질

주선애: 토마스목사는 그 선교의 맥이 로스 선교사로 이어지며 이는 다시 1884년 언더우드와 아펜젤러 선교사가 이 땅에 합법적으로 들어와 선교를 시작한 것과 상관관계가 있다고 봅니다.

김수진: 가톨릭은 한국선교 시작을 이승훈씨가 세례 받은 것을 시점(始点)으로 잡고 있는 것으로 알고 있습니다. 또 감리교의 경우도 장로교와는 다른 선교의 역사를 이야기하고 있습니다. 제가 생각하기에는 우리 개신교 역사도 새롭게 조명해야 되지 않을까 생각합니다. 그러므로 이번 좌담의 주인공인 토마스목사가 순교한 시점(時点)이 우리 개신교 선교사역의 시발점으로 봐야하지 않을까 생각합니다. 특히 올해 9월이면 토마스목사가 순교한지 꼭 1백30년이 되는 해입니다.

고무송: 이 시점에서 우리 한국교회는 선교에 대한 의미를 다시금 되새겨봐야 되지 않을까 생각합니다. 선교학자 보쉬(Bosch)는 '선교는 성육신(成肉身 Incarnation)' 이며, 예수님께서 자신의 몸을 드린 것이 곧 선교라고 갈파합니다. 따라서 토마스목사가 자신의 몸을 바친 것이 바로 한국교회가 배워야 할 선교의 본질이라 할 것입니다.

주선애: 바로 토마스목사가 평양 대동강변에서 순교하였기에 우리나라의 평양이 '동방의 예루살렘' 으로 불리어지게 된 것 아니겠습니까.

한국교회 문제, 물량주의

방지일: 오늘날의 한국교회를 보면 여러가지 문제가 발생하고 있습니다. 대교회 지상주의를 표방, 교세를 확장하는 일에만 혈안이 되고 있으며, 해외선교에 참여하는 데에도 진정한 선교의 의미를 실천하기보다는 물량주의와 과시주의적 성격이 많이 나타나고 있는 듯 합니다.

주선애: 젊은 목회자들의 경우를 보더라도 대부분이 직업의식만을 강조하는 듯 합니다. '피의 복음' 즉 예수의 피와 순교자의 피에 대한 의미를 생각해야 할 때입니다. 죽음을 각오하는 선교가 필요합니다. 토마스목사의 순교정신을 배워야 할 것입니다. 이를 체계화하고 알릴 수 있는 기구(機構)가 절실히 요구됩니다. 또한 받은 복음도 돌려줄 수 있는 기회가 있어야 할 것입니다.

고무송: 토마스목사에 대한 연구를 하면서 그를 파송했던 영국의 하노버교회와 토마스목사 후손들의 도움을 많이 받았습니다. 그들과 유기적인 관계를 갖는 것도 중요한 일이라 생각합니다. 결국 토마스목사를 체계적으로 연구하고 소개할 수 있는 연구소와 같은 기관이 필요하다고 생각합니다.

김수진: 한가지 덧붙인다면, 한국교회의 역사자료를 발굴하고 이를 정리할 수 있는 기관 또한 필요합니다. 발로 뛰면서 쓰는 역사가 중요하기 때문입니다.

고무송: 참 중요한 문제입니다. 영국에서 공부하면서 4년이라는 짧은 기간에 학위를 취득할 수 있게 된 데에는 이유가 있었습니다. 논문의 창의성(創意性 originality & uniqueness)을 중요시하는데, 이 부분에서 지도교수의 좋은 평가를 받을 수 있었던 것 같습니다. 귀한 사료들을 발굴, 토마스목사의 생애와 선교사역에 대해 새로운 시각에서 조명했다는 것입니다.

방지일: 이번 토마스목사에 대한 연구로 앞으로 보다 많은 순교역사가 소개되기를 기대합니다. 또한 이 순교의 역사가 오늘날의 한국교회에 전달되어 바른 선교의 역사가 이루어질 수 있기를 기대합니다.

고무송: 또한 역사자료를 발굴하고 보존될 수 있는 한국교회의 분위기가 싹 틀 수 있기를 바랍니다. 우선 세계 각처에 묻혀있는 토마스목사에 관한 사료만이라도 발굴해서 한국교회에 그의 참뜻을 전할 수 있는 기회가 더 많을 수 있으면 고맙겠습니다.

김수진: 한국교회 전체가 나서서 해야 할 일을 고목사님 혼자서 감당하시느라 수고 많았습니다. 전세계를 다니며 자료를 발굴, 정리하는 일에는 지난날 고목사께서 신문기자로, 방송PD로 활동했던 경력이 큰 도움이 됐을 것 같습니다.

고무송: 그렇습니다. 지도교수 우스토프(Prof. Dr. W. Ustorf)박사님도 그 부분을 인정해 주셨습니다. 그러나 이번 토마스연구는 '미완성교향곡' 입니다. 왜냐하면, 토마스목사의 발자취를 따라 그의 고향

웨일즈로부터 시작, 중국의 상해, 산동반도, 북경, 그리고 미국 등지를 샅샅이 답사했습니다만, 정작 그가 최후를 마친 현장인 평양은 갈 수 없는 땅 아니겠습니까. 언젠가는 평양을 방문, 이 논문이 완성되는 날을 기약합니다.

장시간 좋은 말씀 들려주심을 진심으로 감사 드립니다.

토마스 순교 歷史 발굴 보존

「피의 복음」, 宣敎정신 심을때

◇방지일목사 ◇주선애교수 ◇김수진목사 ◇고무송목사

한반도 선교역사는 토마스순교에서 출발

하노버교회 등과 교류…뿌리찾기 나서야

편집 박만서/교열 김보현

특별좌담을 나눈 방지일 목사 주선애 교수 김수진 목사 고무송 목사(왼쪽부터)

〈에필로그 (Epilogue)〉

평양에서 만난 토마스

2001년 4월 3일, 필자는 평양을 방문했습니다. 드디어, 마침내, 처음으로 평양을 방문했습니다. 좀 더 적절한 표현을 쓰자면, '꿈에도 그리던' 평양을 찾아들게 된 것입니다. '토마스 찾아 삼만리' 마지막 종착지 평양을 찾아 온 것입니다. 사실, 얼마나 오랫동안 그리던 평양이었던가! 토마스의 생애와 선교사역에 관한 논문을 시작하면서 그의 발자취를 따라 세계 곳곳을 방문했지만 딱 한 곳, 그곳은 찾아갈 수가 없었습니다. 토마스의 생을 마감한 평양이었습니다. 가장 중요한 곳, 가장 가까운 곳에 평양은 있었지만, 남북분단의 벽은 너무나 높기만 했습니다.

그토록 안타깝게 사모하던 땅 평양을 찾게 된 것은 대한예수교장로회 총회 농어촌부가 조선그리스도교연맹과 협력해서 추진하는 프로젝트와 또 다른 일로 인해서였습니다. 필자가 사장으로 봉직하고 있는 한국기독공보를 북한에 보내기 위해 조선그리스도교 연맹 관계자를 만나기 위해서였습니다. 그러나 필자에겐 토마스에 관한 흔적을 찾아 그

평양 대동강변에 세워져 있는 격침 기념비 앞에 선 필자

를 만나고자 하는 간절한 소망이 그 무엇보다 중요하고 컸습니다. 고맙게도 필자의 바람은 조선그리스도교연맹 중앙위원회 위원장 강영섭목사님과 선교부장 리춘구목사님을 비롯 관계자들의 적극적인 협조를 통해 이루어질 수 있었습니다.

평양방문 나흘째 되던 날, 우리는 제너럴 셔먼호 격침현장 대동강변에 세워진 커다란 비석 앞으로 안내를 받았습니다. 거기 거대한 자연석에 커다란 글씨로 이렇게 음각돼 있었습니다.

대동강변에 전시된 프에블로 호

미해적선 〈샤만〉호 격침기념비

열렬한 애국자이신 김응우 선생을 비롯한 평양인민들이

우리 나라를 침략하였던 미 해적선 〈샤만〉호를

천팔백륙십륙년 구월 이일 대동강 한사정 여울에서 격침하였다.

천구백팔십륙년 구월 이일

비문에 명기된 김응우 선생은 김일성 주석의 증조부라고 조선전사(朝鮮全史)는 밝히고 있습니다. 바로 그 아래 대동강엔 미국 군함 프에블로호가 전시돼 있어 저항정신의 상징적 기념물이 되고 있는 것을 확인케 됐습니다. 동해안 원산에서 나포한 3천톤급으로 알려진 군함을 대동강변까지 옮겨온 것을 통해 3백톤 급으로 추정되는 범선 제너럴셔먼호의 대동강 항해 가능성에 대한 의문이 조금은 풀렸습니다.

그러나 말없이 서있는 돌 비와 무심히 흐르는 대동강 위에 띄워진 낯선 배를 바라보는 나그네의 마음은 착잡하기 그지없었습니다. 화공법(火攻法) 전술로 불에 태워진 제너럴 셔먼호의 혼돈과 아비규환이 눈에 선하고, 평양성의 포효와 환호가 귀에 쟁쟁한 것이었습니다. 역사의 비정과 아이러니 속에 부각되어지는 토마스의 모습입니다.

특별한 배려 속에 다시 안내된 곳은 혁명박물관이었습니다. 거기, 〈미제의 무장 해적선 샤만호 격침도〉를 비롯 불에 태워 수장시킨 제너럴 셔먼호에서 노획했다는 대포, 그리고 각종 참조문헌, 도표, 그림 등이 전시돼 있었습니다.

대한예수교장로회 총회 방문단을 위한 평양어린이 합주단 공연

〈부록1〉

토마스에 관한 참고 기록들

조선왕조실록에 의하면, 박규수는 1866년(고종3년, 병인) 2월, 그의 나이 60세에 평안감사에 임명됐습니다. 5월, 그는 평안감사로서 철산에 표착(漂着)한 미국 상선 서프라이즈(Surprise)호의 선원들을 구조하여 중국으로 안전하게 이송하도록 크게 호의를 베풀었습니다. 그러나 7월, 대동강에 미국 상선 제너럴셔먼(The General Sherman)호가 침투하자, 평양 중군 이현익(李玄益)과 평양 서윤 신태정(申泰鼎)을 파견, 문정(問情)하게 했습니다. 여러 차례의 설득과 식량제공에도 불구하고 중군을 억류하고 인명을 살상하는 등 횡포를 부리며 퇴각하지 않으므로, 마침내 평양의 군민(軍民)들을 지휘, 화공(火攻) 전술로 제너럴셔먼호를 격침하고 토마스목사를 비롯, 선원 24명 전원을 진멸하기에 이르렀던 것입니다.

박규수는 셔먼호를 격침한 공로로 정2품 정헌대부(正憲大夫)에 특별 가자(加資)되었으며, 1866년 8월, 외세의 침입에 대비하여 대동강 입구의 동진(東津)에 진(鎭)을 설치하도록 건의했습니다. 그는 특별 가자에 감사를 표하고, 공을 세운 군민들에 대한 포상을 요청하는 상소

(辭特加正憲疏)를 올렸습니다. 또한 그해 9월, 프랑스함대가 침입하여 병인양요가 일어나자 대동강 연안에 토성을 급히 쌓도록 지시하고, 평안도 포수들을 모집하여 강화도로 급파하기도 했습니다. 그리고 그해 12월, 미국군함 와츄세트(Wachusett)호가 찾아와 셔먼호사건에 대한 해명을 요구하자, 함장 슈펠트(R. W. Shufelt)의 조회에 대해 황해감사의 명의로 된 답서(擬黃海道觀察使 答美國人照會)를 보내는 등 제너럴셔먼호 사건에 대한 사후수습책 마련에도 적극적으로 활동한 흔적이 발견되고 있습니다.

여기서 주목되는 사실 하나, 그것은 '미 해적선 〈샤만〉호 격침 기념비' 속에 거명되고 있는 '열렬한 애국자이신 김응우 선생' 에 대해서 짚고 넘어가야 할 대목입니다. 우리 역사기록물 가운데 정사(正史)인 조선왕조실록(朝鮮王朝實錄)을 비롯 일성록(日省錄) 비변사등록(備邊司謄錄) 승정원일기(承政院日記) 등 어느 기록물에도 '김응우' 라는 이름과 그의 활동에 관한 기록은 발견되지 않고 있다 하는 사실입니다. 그 이름과 활약상이 나타나 있는 문서는 '조선전사' (朝鮮全史) 14 근대편 1(과학백과사전출판사, 1980)에 보여지고 있는 것뿐이라는 사실입니다.

조선 VS 대영제국

동방의 작은 나라 한국, 이 나라의 위치를 세계지도는 '극동' (極東 the Far East)이라 표기하고 있습니다. '가장 먼 동쪽' 이라는 뜻 아니겠습니까. 그것은 어디를 기준으로 하고 있는 것입니까? 영국입니다.

지구상의 경도(經度) 측정의 기준으로 삼는 선(線)이 영국의 그리니치(Greenwich) 천문대를 통과하도록 한 본초자오선(本初子午線)을 0도(度)로 설정해 놓고 있음으로 해서 그 기준에 따라 계산할 때, 한국은 영낙없이 지구의 반대편 가장 먼 동쪽 지역에 위치하고 있는 나라가 될 수 밖에 없습니다. 그러니까, 토마스목사는 19세기 당시 세계에서 가장 강력한 국가로서 '해가 지지 않는 나라' 라고 널리 회자(膾炙)되고 있던 대영제국(大英帝國 The United Kingdom)으로부터 지구의 반대편에 위치한 '은둔국 조선' (Corea, the Hermit Nation)에 까지 찾아와 27살의 젊은 목숨을 바쳐 복된 소식(福音)을 전해줌으로써 어둡고 어두웠던 이 땅을 밝혀준 하나님의 사자(使者)였던 것입니다.

토마스의 죽음이 남긴 것

토마스의 죽음 인하여, 그가 타고왔던 배 제너럴셔먼호가 미국적선(美國籍船)이었으므로 미국정부는 조선정부에 배상을 요구하게 됩니다. 그러나 조선정부는 이를 거부, 미국은 1871년 조선을 침략, 신미양요(辛未洋擾 The Korea-America War)가 발발하게 됩니다. 이 전쟁의 결과, 조선은 구미제국(歐美諸國) 가운데 최초로 미국과 수호통상조약(修好通商條約 1882년)을 체결, 미국인의 조선입국과 활동을 보장하게 됩니다. 이에 따라 미국선교사들이 조선에 합법적으로 입국, 포교활동을 펼치게되는 것입니다. 그러니까, 토마스의 죽음(1866년)에 따른 제너럴셔먼호 사건은 미국선교사의 입국과 포교활동을 가능케 한 단초(端初)가 되는 것입니다. 그것은 한국교회가 선교한국의 기산점(起算点)으로 삼고 있는 미국북장로교 의료선교사 알렌의 조선입국(1884년)

보다 무려 18년이나 앞선 것입니다. 따라서 필자는 1866년 토마스선교사의 조선입국을 한국교회 개신교선교의 출발시점으로 삼아야 한다고 주장하는 바입니다.

초대교회 교부 저스틴은 '순교자의 피는 교회의 씨앗' 이라 했습니다. 옳습니다. 토마스 목사의 순교의 피가 뿌려진 평양, 그곳에 복음의 씨앗이 심겨졌고, 싹이 자라고, 꽃이 피고, 풍성한 열매를 맺게되는 것입니다. 미국북장로교 선교부는 1893년 마펫선교사를 평양에 주재케 하여 선교부를 개설, 한국인들과 장대현교회를 창립하게됩니다. 마펫은 1901년 장로회신학교를 개교, 1907년 이기풍을 비롯한 제1회 졸업생 7명을 배출합니다. 이리하여 평양을 중심으로 복음의 불길이 피어오릅니다. 그리고 1907년 성령의 부흥운동이 평양 장대현교회로부터 타올라 전국적으로 요원의 불길처럼 번지게됐으며, 평양은 '동방의 예루살렘' 이라 불리게 됐던 것입니다.

그러나 지금은 갈 수 없는 땅, 무너진 제단은 언제 다시 일으켜 세워질 것인가? '토마스 찾아 삼만리' — 필자가 평양에서 만난 그는, 오늘도 희생제물로 민족의 제단에 바쳐진 채 이 민족의 온전한 해방과 남북통일의 그날을 기다리며, 푸르고 푸른 그리스도의 계절이 이 땅에 임하기를 기도하며, 외세침입(外勢侵入)과 민족상잔(民族相殘)의 상처로 얼룩진 한반도를 묵묵히 굽어보고 있는 것만 같습니다. 아, 무너진 제단이 수축될 그날은 언제런가? 주여, 비옵나니, 이 땅 고쳐주옵소서. 이 민족 새롭게 해 주시옵소서. 통일이여 어서 오라! 통일이여 오라!

〈부록2〉

토마스 순교기념교회 낙성

이 글은 기독신보(基督申報) 1932년 8월 31일자(제874호) 1면에 머릿기사로 게재된 사설과 보도기사이다. 토마스목사순교기념회가 영국의 유족들에게 보낸 여러가지 자료 가운데 하나로, 필자가 만난 토마스 목사의 손녀인 엘리자베스 한(Elizabeth Hann)으로 부터 입수한 자료속에서 찾아 낸 것이다. 기독신보는 영자로 The Christian Messenger로 표기돼 있으며, 유족들을 위해 영어로 번역, 간략한 설명을 곁들여 놓고 있다. (사설: Editorial, 순교자의 핏줄기: Martyr' s Blood.) 그리고 부전지를 붙여 다음과 같이 이 신문에 대해서 부연설명을 곁들이고 있다.

The Christian Messenger is the only weekly (news)paper published by the Christian Literature Society of Korea. Almost all of the Presbyterian and Methodist Christians in Korea take this paper. It will be interested to hear that Korean paper reads from the right to the left.

(基督申報는 한국기독교서회에서 발행하는 국내 유일의 주간지입니다. 한국의 장로교와 감리교 신자들 대부분은 이 신문을 구독합니다. 한국신문은 오른쪽으로부터 왼쪽으로 읽게 된다는 것이 흥미롭습니다.)

한편 토마스기념예배당 기사의 큰 제목은 다음과 같이 부전지를 붙여 설명하고 있다. 朝鮮基督敎史上(新敎) 唯一한 紀念聖堂인 도마스紀念禮拜堂落成(Thomas Memorial Church, the only Memorial Church in the history of Korean Protestant Church, has been completed.)

또한 게재된 3장의 사진설명은 다음과 같다.

1. 준공된 기념례배당(The completed church)

2. 례배당에서 (토마스목사의)묘지인 봉래도를 바라보는 광경(Seeing The Tomb of Mr. Thomas from the church)

3. 모여드는 교인들(Christians coming towards the church)

朝鮮基督敎史上(新敎)
唯一한 紀念聖堂인
도마스紀念禮拜堂 落成

누가 죽은 사람을 가르쳐 힘이 잇다 하랴마는 죽엄보다 더 힘잇는 것이 없으며 누가 소위사교(所謂邪敎)를 전하다가 목숨을 버린 사람을 귀엽다 하랴마는 순교자의 피는 교회의 종자이다 거금66년전에 기독교의 횃불을 들고 어두운 조선강산을 빛외여주려고 용감하게 날뛰든 청년목사 도마스의 의로운 죽음을 기념하려고 그의 출세(出世)를 중외에 선포한 도마스목사 순교기념회에서는 조선예수교장로회 총회와 그 외 내외국 각 단체의 후원으로 경영하는 사업은 착착 진행되야 1928년에는 첫 사업인 도마스목사의 전기(傳記)를 발간하엿고 이래 4년간은

둘재 사업인 기념례배당 건축을 위하야 활동중이더니 지난3월8일 착공(着工)이래 4개월반의 적지안은 기간에 건축위원과 당지 교우의 열성으로 조선기독교 선교사상의 유일한 기념성당인 동 례배당도 지금은 원만하게 준공이 되엿다 도마스목사의 영명(英名) Thomas의 처음자인 T자를 택하야 T자형의 례배당실이 잇고 그 뒤로는 동 목사의 유물사료(史料) 등을 보관할만한 기념실과 목사연구실과 회의실이 가지런히 달려잇어서 간단하나마 조선 다른 곧에서 볼수없는 최신식의 례배당이다 그뿐아니라 영국스캇틀랜드 성서공회 리사회는 동 목사의 기념석비를 보내어 례배당 남편 담벽에 붙이엿고 동 목사를 후원하야 조선으로 오게하고 많은 성경을 공급한 윌리암손 목사의 딸인 킹(King) 부인은 기념실, 목사연구실, 회의실의 건축비를 주엇고 경성대영성서회 직원들은 강대 우에 놓여잇는 강도상과 교자를 주엇고 동 목사와 동창 학우요 방금 90이상의 로령 목사인 뿔람펠드 목사는 기념실안에 비치할 기념서고(書庫)를 주엇고 동 목사의 족하인 도마스씨는 화려한 강대를 주엇고 숭실전문학교 윤산온 교장은 기념종을 주엇고 평양신학교 학우회와 고등녀성경 학생회는 기념문을 주엇고 경성 영도(永島)악기점에서는 기념풍금을 주어서 각처로부터 드러온 선물은 일일히 기록할 수 없으리만콤 많다

전선(全鮮)40만 기독교 신교신자의 적성을 모하 지은 이 기념성당의 락성식은 오는 9월에 평양서 개최되는 장로회총회와 예수교련합공의회를 기회로하야 성대히 거행하려니와 봉래도 맞은 높은 언덕 송림 가온대 웅대하게 자리를 잡고 서잇어서 대동강의 아래 우를 나려다보고 조선기독교의 중심인 평양성을 바라보며 은근하게 울려내는 기념종의

종소리는 조선 산하에 뭉키여 사는 2천만 백의 인에게 무엇을 말하고 잇느냐!

基督申報

社說

순교자의 피ㅅ줄기

朝鮮基督教史上(新教) 唯一한紀念聖堂인

도마스紀念禮拜堂落成

환란중에 감리

토마스기념교회 건립에 대해 보도한 기독신보(1932년 8월 31일자)

〈社說〉

殉敎者의 핏줄기

1.

갈보리 산상에 웃뚝 서잇는 십자가에서 못에 찔리고 창에 찔리이어 흘러나린 핏줄기는 하느님의 뜻을따르려 인류를 위하야 희생한 뜨거운 핏줄기이다. 즉 하느님의 뜻을 복종하고 사람들을 구원하는 그것을 위하야 죽노라고 흘리신 핏줄기이다.그 핏줄기의 세력은 무참이 얽어놓은 복잡한 이 공간의 간격을 헐어바려서 인종의 별, 민족의 별, 유무식의 별, 빈부의 별, 귀천의 별 등의 사람답지 못한 차별을 없이하고 오직 자연과 인간이 잇을뿐으로 훤-한 공간으로 새로운 개혁을 시작하엿고 우리가 지고 나려오던 역사를 뒤집어 방향을 전환시키어 준 것이다. 그래서 이 피에 비린내를 마시는 자마다, 이 피에 마음을 적시는 자마다 새사람으로 지어지는 것이다. 그래서 오늘날의 교회가 이로 말미암아 생기는 것이오, 매우 희미하나마 오늘날의 잇는 참과 옳음 운동이 이로 인하야 머리를 들고 잇는 것이다.

2.

이 핏줄기에 매우 감축된 자들은 그 목숨을 그 핏줄기에 합류하야 더 굵은 핏줄을 만들어 가지고 더 많이 물드리고 더 힘잇게 냄새를 끼처서 한 사람이라도 더 많이, 한 시간이라도 더 속히 현 생활의 환경을 다시 만들고 종래 생활의 전습을 끊어바려 새 환경에 입각한 신 인간을 산출하려고 노력하기를 마지 아니하는 것이다. 이것은 사도행전의 기록 전체가 그것이오, 교회 역사의 기록 모두가 그것의 증거품이라고 하겟다. 그리고 현재에 목숨을 가지고 잇는 사람들 중에서도 그의 혈관을 십자가에서 내뿜든 그 핏줄기와 한데 잇고(聯結) 있는 이들의 가상한 표현을 종종 발견할 수 잇다. 그래서 우리는 이 작고인의 역사적 인물들을 숭배하며 따라서 묵상하는 중에서 그들을 한없이 부러워하고 그들의 발자최를 따라가려고 끝없이 노력하는 바이다. 이것을 더 힘잇게 하기 위하야서 기념관을 건축하거나 동상을 세우거나 기타 여러 모양으로 기념하는 형식을 취하고 잇다. 근년에 그러한 일이 매우 빈번한 중에 오는 9월에 헌당식을 하려고 준비중에 잇는 도마스목사의 기념당은 그것들 중의 하나이다.

3.

도마스선교사의 사적은 숙지(熟知)하는 바이며 또 별보(別報)(도마스목사순교기념례배당 신축기사: 필자)와도 갇거니와 그 건축은 비록 돌과 나무, 흙, 쇠 등의 보통 재료로 구성은 되어 잇을지라도 그 건물은 진실노 도마스선교사가 그리스도의 피에 적시워서 체득한 바로 우리 민족의 혈관을 그의 핏줄기에 잇(聯結)대랴는 그 열잇고 성의 잇는 희생의 피의 징상(徵象)이다. 그런고로 누구던지 그 건물을 대할 때에는 도마스선교사의 행적과 및 그의 희생적 정신이 련상되어 한번 다시 자기 생활이 어느 정도까지나 그리스도의 핏줄과 연락하는데 들어가 잇으며 또는 얼마나 순교적 활동을 하고 잇는지 반성하야 회개할 기회가 되어야 할 것이다. 그런고로 비석이 망두석화 하지 말고 기념관이 신당화 하지 말도록 조심하고 경계하는 동시에 우리가 먼저는 주를 기념하는 비석도 되고 동상도 되고 기념관도 되어서 우리를 보는 사람, 우리들 접촉하는 사람들노 하여곰 주를 알고, 주를 생각하게 하며, 주를 따르게 하여야 한다. 그리고 우리를 접촉하는 인사들로 하여곰 도마스선교사의 은공을 감사하며 하례하도록 할 것이다. 그리하여야 비석 동상 기념관 같은 것들이 없어도 오히려 진정으로 기념하는 일이 더 늘어갈 것이다. 일언이폐지하고 기념하는 모든 일에 소극적으로는 우상화를 경계할 것이오, 적극적으로는 우리 각자가 기념품이 되며 기념사업이 되자는 것이다.

※기독신보(基督申報)는 일제 치하 교회신문 사상 가장 수명이 길었던 교회 주간신문으로서 1915년 12월 7일 창간되어 1937년까지 속간되었다. 역대 사장은 크램, 김필수, 게일, 하아디(R.A.Hardie 河鯉泳), 로드스(H.A.Rhodes 魯海利) 등이었고, 역대 주필은 김필수, 박동완, 조상옥, 박연서, 전필순 등이었으며, 당시 사장은 영국인 하리영(河鯉泳), 편집겸발행인 영국인 반우거(班禹巨). 인쇄인 조선인 김진호(金鎭浩). 신문대금 5전(1부). 참고로 가급적 맞춤법은 원문을 살렸고, 띄어쓰기는 현행 맞춤법에 준했음을 밝혀둔다.

〈부록3〉

한 알의 밀이 땅에 떨어져

이 글은 필자가 〈크리스찬위클리〉에 연재했던 〈한알의 밀이 땅에 떨어져 — 한국최초 개신교순교자 토마스목사〉 10회 연재 마지막회 글입니다.

토마스 목사의 한국선교에 대한 재평가

제너럴 셔먼호(The General Sherman) 미스터리

토마스목사의 생애와 선교사역에 대한 글을 집필할 수 있도록 좋은 지면을 할애해 주신 크리스찬 뉴스위클리와 애독해 주신 독자 여러분에게 감사를 드린다. 독자들께서 지대한 관심을 갖고 좋은 반응을 보여주었으며 자료를 제공하고 의견을 제시해 준 분들에게 깊은 감사를 드린다.

토마스목사의 행적에 대해선 아직도 규명해야 할 과제들이 많이 있는 것이 사실이다. 특히 그의 죽음은 아직도 선명하게 풀리지 않는 의문점들이 남아 있다. 무엇보다 그가 승선해 조선에 까지 올 수 있었으며 결국 운명을 함께 한 제너럴 셔먼호의 정체는 아직도 신뢰할만한 수준의 자료가 발굴되지 않아 수수께끼로 가려져 있는 부분이 많이 있는 것 또한 사실이다. 그런데 이번 연재물 집필을 계기로 몇몇 좋은 제보가 필자에게 있었음에 감사를 드린다. 연변과학기술대학에서 사역하며 북한선교에 지대한 관심을 갖고 있는 모(某)교수가 제보한 내용을 사진을 곁들여 독자들과 함께 나누고자 한다.

제너럴셔먼호는 본래 프린세스 로열(The Princess Royal)로 명명된 선박으로서 1861년 영국 스코틀랜드 글라스고에 위치한 한 선박회사(Ted & McGregor)에 의해 제작되었다. 이 선박은 밀무역을 위한 목적으로 제작되었으며 미국 남북전쟁 당시 남부군에게 무기를 밀무역으로 제공하는 데 사용됐다. 이 선박은 철제 표피에 길이 198피트9인치(약60m), 너비27피트3인치(약8m), 높이16피트(약5m) 크기였다. 이 선박은 석탄을 사용하는 2개의 증기 엔진과 2개의 마스트를 갖고있어 11노트로 항해할 수 있었다. 한편 이 선박에는 2개의 12파운드 짜리 대포와 보다 작은 2개의 대포를 장착했으며 약15명의 승무원 전원이 경무장을 하도록 했다.

1863년, 프린세스 로열은 미국 연방 해군성에 의해 나포되어 1865년까지 미 해군 전함으로 남북전쟁에 투입됐다. 전쟁이 끝남과 동시에 이 선박은 임무를 종료, 사무엘 쿡(Samuel C. Cook)에게 전매되었다. 그는 이 선박을 재무장, 2개의 큰 대포와 보다 작은 2개의 대포로 무장했으며 배의 이름을 제너럴 셔먼(The General Sherman)으로 개명했던 것이다.

1864년 쿡은 이 선박을 중국으로 보냈는데, 당시 이 나라의 형편은 1849년에 발생한 태평천국의 난으로 인해 혼돈 속에 있던 시기였다.

제너럴 셔먼호는 중국의 해안선을 따라 마을과 소도시들을 습격, 해적 행위를 일삼음으로써 '검은 해적선' 으로 알려지게 되었는데, 중국정부가 압류하여 천진 소재 영국 회사인 메도우즈 상사(Meadows & Co.)에 매각했고, 다시 미국인 프레스톤(Preston)에게 전매되었던 것이다. 프레스톤 선장은 당시 은둔국 조선왕국(The Hermit Kingdom of Korea)을 개방, 미국과 통상을 개설하고자 면직물과 주석판, 유리, 그리고 여러가지 물품을 선적, 조선을 향해 출항하고자 했다. 그러나 미국인들의 목적은 무역 뿐만 아니라 왕조의 무덤 속에 들어있는 것으로 알려진 금 은 보화를 도굴하겠다는 계획을 세운 것으로 알려지고 있다. 그리하여 제너럴셔먼호가 중국 북동부에 위치한 천진을 떠난 것은 1866년8월9일이었고 조선의 대동강 입구에 도착한 것은 8월18일이었다. 그리고 1866년 9월5일 제너럴셔먼호는 평양부근 대동강에서 파괴됐고 승무원 전원은 죽임을 당했다.

위와 같은 리포트는 제너럴셔먼호에 대한 궁금증을 일부 해갈해 주고 있으나, 내용 가운데엔 그 선박이 사고 현장인 대동강에서 다시 인양되어 서울의 한강으로 옮겨져 수리함으로써 당시 조선 해군의 최초 현대식 전함으로 명명되었다는 등 확인하기 어려운 이야기들을 담고 있어 전적으로 신뢰하기엔 매우 부적절한 자료라고 여겨지는 부분이 있는 것이 사실이다. 아무튼 제너럴셔먼호의 행적은 미스터리에 속한 부분이 많이 있으며, 그러기에 독자 여러분들의 계속적인 관심과 연구가 지속되어지기를 기대하는 마음 간절하다.

토마스목사의 죽음이 남긴 것

제너럴셔먼호 사건은 미국의 조야를 발칵 뒤집어 놓았다. 미국은 조선에 손해배상을 요구했고, 조선은 이를 거부했다. 미국은 군대를 보내 한국을 응징하고자 강화도를 침공했다. 1871년 마침내 신미양요(辛未洋擾 Korea-America War 韓美戰爭)가 벌어진 것이다. 치열한 전쟁으로 쌍방 모두 많은 희생을 치러야 했다. 물론 장비가 열악한 조선군인들의 희생이 컸던 것이 사실이다. 그럼에도 불구하고 대원군은 승리의 개가를 부르며 1872년 척화비(斥和碑)를 세우고 쇄국정책을 강화하기에 이른다- "서양 오랑캐의 침입을 맞아 싸우지 않는 자는 화친을 주장하는 자요, 화친을 주장하는 자는 나라를 팔아먹는 자이다"

그러나 조선은 1882년 미국과 조미수호통상조약을 맺고 쇄국의 빗장을 열고 서양을 향해 문호를 개방하게 된다. 조약에는 종교활동에 대한 명문규정이 확실하게 표현되지 않았으나, 선교사들 까지 합법적으로 입국, 활동의 보장을 받게 된 것이다. 이로써 1884년 알렌 선교사가 최초의 개신교 선교사로 합법적으로 입국했고, 1885년 언더우드와 아펜셀러 선교사가 함께 입국, 본격적인 선교활동을 펼치게 된 것이다. 그러니까 토마스 목사의 죽음을 통해 신미양요가 발발했고, 신미양요를 통해 한미수교통상조약이 체결됐고, 이 조약을 통해 미국의 선교사들이 한국 땅에 합법적으로 입국, 선교활동을 펼치게 된 것이다.

여기서 분명히 짚고 넘어가야 할 것은 한국개신교 선교의 시작을 1884년 알렌의 입국으로 계산하지만, 역사적인 사실(史實)은 1866년 토마스목사의 순교가 합법적인 선교의 단초(端初)를 제공했다는 관점에서 볼 때, 이를 진정한 한국개신교 선교의 기산점(起算點)으로 삼아야 된다는 사실(事實)을 유념해야 할 것이다.

"선교란 무엇인가?"

"선교란 무엇인가?"(What is Mission?)- 선교신학자 데이비드 보쉬(David Bosch)의 질문이다. 그는 자문자답(自問自答)한다- "선교는 성육신(成肉身)이다"(Mission is Incarnation.) 그리고 그는 예수 그리스도를 가장 위대한 선교사의 모델로 제시한다. 가시적인 실적주의 입장에서 보면 예수님은 실패한 선교사라 할 것이다. 그러나 그는 생명 자체를 제물로 바쳐 구원사역을 완수했기 때문이라는 설명이다.

토마스목사는 27살 젊은 나이에 생을 마감했다. 그가 조선에 체재했던 기간은 다만 2개월 반 정도였고, 그는 한명의 개종자도, 하나의 교회도 세우지 못했다. 그러기에 더러는 토마스 목사가 조선에 기여한 것이 별로 없다고 평가절하 하기도 한다. 오늘 한국교회가 가시적인 업적과 성공지상주의로 내닫고 있는 관점에서 볼 때 토마스는 업적이 없고, 어쩌면 실패한 선교사라고도 할 수 있을 것이다. 그러나 그는 예수님처럼 생명을 희생제물로 조선을 위해 바쳤기에, 그분이야말로 위대한 선교사라고 부를 수 있는 것 아니겠는가? 필자는 말씀을 인용함으로써 본 연재의 결론을 맺고자 한다.

"한알의 밀이 당에 떨어져 죽지 아니하면 한알 그대로 있고
죽으면 많은 열매를 맺느니라"(요한복음12:24)

〈부록4〉

"부흥의 불길 타오르게 하소서!"

–토마스목사 기념예배당 재건의 꿈

최근 평양으로부터 기쁜 소식이 날아들었다. 평양과학기술대학(총장 김진경)으로부터 전해진 소식, 그것은 다름 아닌 건축공사현장에서 이상한 물체가 발굴됐다는 것이었다. 현장사진과 지도 등 관련자료를 통해 확인된 그 물체는 바로 '토마스목사기념예배당'의 잔해(殘骸)로 보여지는 것이었다.

토마스목사는 영국 출신 선교사로 1866년 복음을 들고 이 땅을 찾아들었다가 평양 대동강변에서 죽임을 당한 개신교 최초의 선교사이며 순교자. 당시 조선왕국은 대원군의 쇄국정책으로 서방세계를 향해 빗장을 굳게 걸어 잠그고 있었다. 이미 엄청난 천주교 박해사건이 벌어지고 있었으며, 복음을 들고 이 땅을 찾아온다는 것은 곧 죽음을 의미하는 것임에도 불구하고 토마스목사는 조선과 통상을 하고자 했던 미국상선 제너럴 셔먼호에 동승, 다량의 성경을 갖고 조선을 찾아온 것이었다. 평안감사 박규수는 화공법으로 제너럴 셔먼호를 불태워 대동강에 수장시켰고, 토마스목사는 대동강변에 끌려나와 순교하게 된 것이었다.

필자는 영국 버밍함대학교에서 '토마스목사의 생애와 선교사역에 관한 연구' 로 선교신학박사학위(PhD)를 취득한 바 있거니와 번역본으로 '토마스목사와 함께 떠나는 순례여행' (쿰란출판사 2001년 서울)을 출간, 한국교회에 그의 순교에 대해 자상하게 소개했다. 연구 과정 속에 그의 후손을 만나 그에관한 귀중한 자료들을 발굴했다. 그중 한가지, 그것은 1832년 한국교회가 토마스목사의 순교를 기념하여 그의 순교현장인 대동강변에 '토마스목사 기념예배당' (Thomas Memorial Church)을 건립, 헌당한 신문보도와 사진 그리고 헌당예배 순서지 등이었다. 자료에 따르면 마포삼열목사가 취지설명과 함께 증건(贈鍵)하는 순서를 맡고 있다. 그는 평양신학교 창설자로서, '토마스목사선교기념회' 를 창설, 토마스에 관한 자료를 발굴, 토마스목사순교에 관한 책자를 발간했고, 기념교회를 건립하기에 이르렀던 것이다. 그 예배당은 토마스(Thomas) 이름의 첫글자인 'T' 자를 본뜬 모습으로, 당시 우리나라 최초의 서양식 건물로 건축됐던 것. 현장에서 발굴된 출토품은 예배당 종탑의 일부분으로 보여진다.

필자는 지난10월 '한국교회인물연구소' (이사장 김삼환 / 소장 고무송)를 창립, 사표(師表)가 될만한 인물들을 발굴, 세계교회 앞에 제시함으로써 바람직한 신앙의 모범을 보여주고자 하거니와, 마땅히 토마스목사의 삶을 귀감(龜鑑)으로 소개하고 있음은 물론이다. 또한 그의 순교현장에 세워졌던 '토마스목사기념예배당' 을 재건하고자 하는 꿈을 꾸어왔다.

초대교회 교부 터툴리안은 말했다- "순교자의 피는 교회의 씨앗이

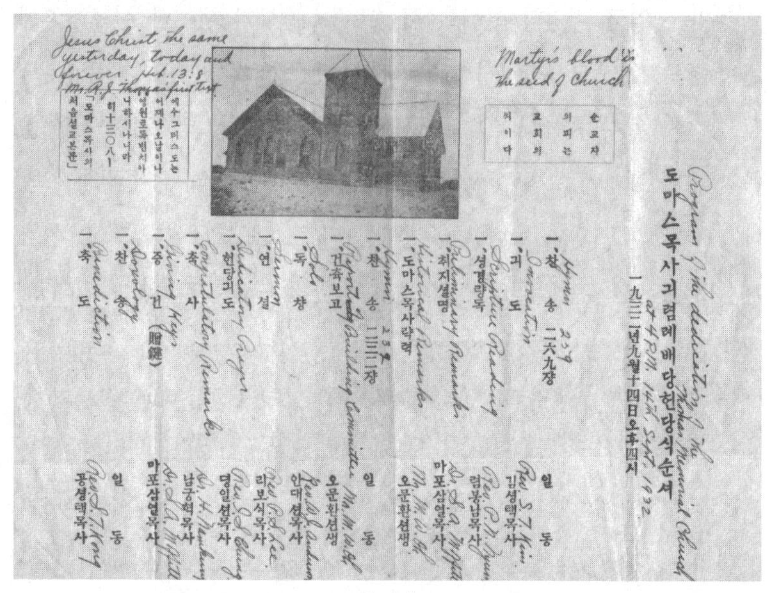

Jesus Christ the same yesterday, today and forever Heb. 13:8

예수그리스도는 어제나오날이나 영원토록변치아니하시나니라 히十三〇八 「도마스목사의 서음설교본문」

Martyr's blood is the seed of Church

순교자의피는 교회의씨이다

Program of the dedication of the Thomas Memorial Church at 4 P.M. 14th Sept. 1932

도마스목사긔렴례배당헌당식순서

一九三二년九월十四日오후四시

一, 찬송 二六九장 Hymn 269 — 일동
一, 긔도 Invocation — 김셩택목사
一, 셩경랑독 Scripture Reading — 렴봉남목사
一, 취지셜명 Preliminary Remarks — 마포삼열목사
一, 도마스목사략력 Historical Remarks — 오문환션생
一, 찬송 二三三장 Hymn 233 — 일동
一, 건축보고 Report of Building Committee — 오문환션생
一, 독창 Solo — 안대션목사
一, 연셜 Sermon — 리보식목사
一, 헌당긔도 Dedicatory Prayer — 뎡일션목사
一, 축사 Congratulatory Remarks — 남궁혁목사
一, 증건(贈鍵) Giving Keys — 마포삼열목사
一, 찬송 Doxology — 일동
一, 축도 Benediction — 공셩택목사

순서지

다”. 한국이야말로 토마스목사의 순교를 비롯, 일제강점기와 6.25 동족상잔의 수난을 겪으면서 엄청난 순교의 피를 흘렸던 땅. 그 터전 위에 한국교회는 세계교회가 주목하는 급성장을 이룩한 금자탑(金字塔)을 이룩하게 된 것 아니겠는가. 그러나 오늘 한국교회는 물질만능주의와 성공지상주의 늪 속에 빠져들어 ‘순교’를 잊었으며, 십자가의 ‘고난’을 버렸고, 너무나 편하고도 쉽게 신앙생활을 하고자 하는 유혹의 깊은 수렁 속에 빠져 있는 것은 아니겠는지. 그것이 바로 이 시대 한국교회 속에 토마스목사의 순교정신을 일깨워 부흥의 불을 붙이고자 하는 진정한 뜻이 깃들어 있는 것이다.

토마스목사 순교 40년이 지난 1907년 평양 장대현교회를 중심으로 엄청난 회개운동이 일어났고, 그와 함께 부흥의 불길이 크게 타올라 전

국으로 번졌다. 그 불길은 필자의 고향인 남녘 호남평야에 까지 번져 1907년 군산지곡교회가 창립되었으며 100년이 넘는 연륜을 쌓기도 했다. 내년은 토마스목사 순교 140주년이 되는 해, 그리고 2007년은 평양부흥운동 100주년이 되는 뜻깊은 해. 바야흐로 칠흑 같은 어두움 속에 잠겨있는 땅, 평양 그곳에 토마스목사 기념교회를 재건하여 그의 순교정신을 한국교회 속에 불어넣음으로써, 이 나라 이 민족 가슴 가슴마다 진정한 부흥의 불길을 다시금 타오르게 해야 하지 않겠는가.

오 주여,
이 땅 황무함을 보소서. 이 땅 고쳐주소서.
이 땅 새롭게 하소서. 부흥의 불길 타오르게 하소서! 아멘!

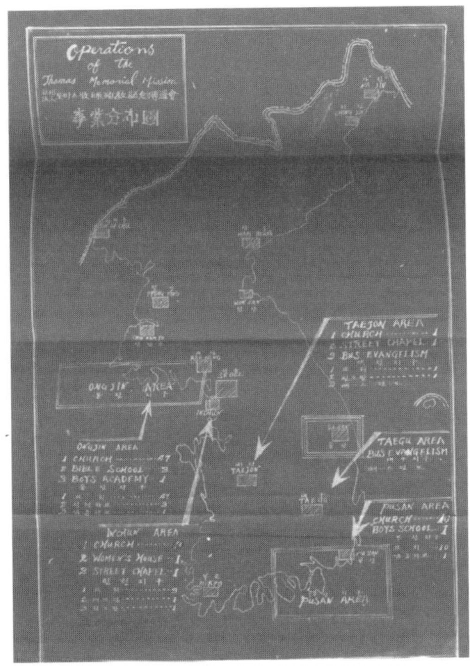

토마스선교회 전국사업분포도(1930년대)

〈부록5〉

한국의 기독교 역사에 관한 브리핑

(2005년10월 프랑크푸르트)

한국의 기독교는 단지 1세기라는 짧은 선교 역사에도 불구하고 급속도로 성장하여 남한 국민의 25% 이상이 기독교인이 되기에 이르렀다. 한국교회의 놀라운 성장의 배후에는 어떠한 요인들이 있는 것일까? 그 가운데 중요한 몇 가지 요인에 대해 살펴보고자 한다.

첫째, 순교자의 공헌이다

초대교회 교부 터툴리안은 말했다– "순교자의 피는 교회의 씨앗이다" 그의 말 그대로, 한국교회는 가톨릭을 포함하여 개신교 또한 엄청난 순교의 피를 흘렸다. 개신교 최초의 순교는 1866년 평양 대동강에서 순교한 영국인 선교사 토마스목사를 들 수 있다. 그의 순교에 대해 한국교회가 얼마나 큰 의미를 부여하고 있는가 하는 것은 한국의 대표적인 교단인 대한예수교장로회의 최초의 공식적인 역사 기록인 '조선예수교장로교 사기'(史記)에서 다음과 같이 언급하고 있는 데에서 확인할 수 있다

"동방에 위치한 조선은 세계에 문호를 개방하는 것을 거부해 왔다.

그들은 외부로부터 자신을 보호하려고 했으며, 고립국가가 되기를 원했다. 그들은 서구 세계와의 접촉을 강하게 거부하며 기독교를 받아들이려고 하지 않았다. 이로 인해 그들은 영생을 얻지 못하게 되었다. 그러나 자비로우신 하나님께서 조선 사람들을 너무나도 사랑하셔서 선교사를 보내셨고, 그는 자신의 생명을 조선 사람들을 위해 희생의 제물로 바치며 순교했다. 그가 곧 R. J. 토마스목사(Rev. Robert Jermain Thomas)였다." (The History of the Presbyterian Church of Korea, p.1)

한국 개신교 최초의 선교사이며 순교자인 토마스목사의 죽음에 대해 다음과 같은 증언이 있다.

"토마스목사는 조선의 군인들과 시민들에 의해 대동강 밖으로 끌려나왔다. 그들은 창과 칼로 무장하고 있었으며, 도끼를 들고 있는 사람들도 있었다. 그러나 토마스목사는 오직 성경만 들고 있었다. 그는 사람들에게 성경을 받으라고 부탁했으나, 아무도 나서지 않았다. 토마스목사는 머리에 검이 꽂히는 순간에 '예수님, 예수님' 하고 부르짖었다. 마침내 머리가 잘리고 붉은 피가 그의 목에서 흘러내렸다." (The History of Pyongyang Synod, Presbyterian Church of Korea, pp.64-65.)

이처럼 한국교회는 개신교 최초의 순교자인 영국인 선교사 토마스목사의 죽음을 높이 평가했고, 그와 같은 순교가 그리스도인의 삶의 진정한 모습이라고 여겼던 것이다.

일제에 의한 순교

특별히 한국교회는 유아기(幼兒期)를 벗어나기도 전에 일본제국주의에 강점돼 국권을 상실하기에 이르렀다. 1910년 한일합방이 되어 모든 주권은 일제로 넘어갔다. 많은 개신교인들이 독립운동에 가담하여 수난을 입었으며, 이때의 잔혹한 고문으로 많은 기독교 인사가 고통을 겪거나 그 후유증으로 병사하는 사태가 일어났다. 그후 3.1운동 당시에는 그 주동세력 및 참가세력이 모두 기독교인들로 엄청난 희생을 치르었다.

한편 1930년대에 들어서면서 일제는 신사참배를 강요하기에 이르렀고, 한국교회는 또 다른 수난에 직면하게 되었다. 1935년 장로교 선교사들은 신사참배 반대의 입장을 결의했고, 마침내 이 여파로 인해 1937년 평양의 숭실, 숭의, 대구의 계성 신명, 서울의 정신 등 북장로회 소속 대부분 학교와 전주 신흥, 광주 숭일 수피아 등 남장로회 경영의 모든 학교가 폐교 처분되기에 이르렀다. 이어 1938년 조선예수교장로회 총회가 강압에 의해 신사참배를 결의한 후, 이에 개인적으로 반대하는 모든 교역자들이 검속되기 시작하였고, 기타 다른 교단에서도 신사참배와 동방요배 여부에 의한 검거 선풍이 일었다. 많은 교역자들이 옥중에서 순교하거나 고문의 여독으로 출감 후 절명하였고, 또한 많은 이들이 해방 당시까지 옥중에서 수난을 겪었다.

그밖에 감리교회에서도 이영한 목사가 해주 감옥에서 순교했으며, 강종근 목사, 권원호 전도사 등은 서대문 감옥에서 순교하였고, 최인규

전도사는 대전형무소에서 순교했다. 또한 성결교회는 그 돈독한 재림 사상 등으로 더욱 잔혹한 핍박을 당했고, 1943년에는 교단 자체가 해산되는 비운을 겪었다. 성결교회의 모든 교역자들이 검거되어 심한 문초를 받았고, 그중에 박봉진 김연 목사 등은 순교하였다. 동아기독교의 전치규목사 등도 고문에 의해 순교했다. 그중에 주기철목사, 최봉석 목사 등의 순교행적은 많은 귀감이 되었고, 그 밖에도 청주의 허성도 목사, 경남의 최상림 목사, 목포의 박연세 목사, 김창옥 장로 등도 장렬한 순교의 대열에 섰다. 이로써 일제 말기의 신사참배 반대로 인한 개신교 순교자가 50여명이었고, 옥중에서 잔혹한 수난을 겪은 인사만 해도 2천여명에 이르렀다.

공산당에 의한 순교

해방 이후 한국교회는 공산당에 의한 대규모 순교에 직면하게 됐다. 소련군이 진주한 38선 이북의 북한지역에서는 1945년 해방과 동시에 노골적인 교회 탄압이 시작되었다. 사회민주당사건, 신의주학생사건 등으로 순교하거나 검속된 뒤 행방불명 되었다. 1950년, 6.25동란이 일어나던 해에는 이성휘목사를 비롯한 많은 교회 지도자들이 학살되었다. 6.25동란 이후에도 북한지역의 기독교인들에 대한 학살과 검속은 계속되어, 원산 마르다여자신학교 교수인 조희렴 목사를 비롯한 교회 지도자들이 순교하였으며, 그밖에 많은 전도사, 유계준 장로를 비롯한 많은 평신도 지도자들이 죽임을 당했다.

한편 남한지역에서도 공산세력에 의한 많은 혼란이 일어났다. 6.25

동란이 일어나기 전 남한 곳곳에서 좌우익간의 충돌로 교회는 수난에 봉착했고, 희생된 교인들이 많이 발생했다. 1948년의 제주도 좌익폭동으로 이도종목사가 희생됐으며, 1949년에는 모슬포교회 허성재 장로 등 여러 신도들이 희생됐다. 1948년 10월의 여순반란사건으로 손양원 목사의 두 아들 동인 동신 형제 등등 헤아릴 수 없는 많은 희생자들을 낳았다. 6.25동란이 발발하고 공산군이 남한을 침략하면서는 그 수난의 폭이 더욱 넓어져 곳곳마다 많은 순교자가 발생했다.

예컨대, 충남 논산군에 있는 성결교회인 병촌교회는 공산군으로부터 집단학살을 당하여 유아에서 칠순노인에 이르기 까지 66명의 교인들이 한꺼번에 학살됐다. 서울의 영락교회 김응락 장로 등 여러 교계 인사가 살상되었고, 무엇보다 수많은 기독교 인사들이 공산군의 후퇴와 함께 북으로 납치되었다. 이렇듯 6.25동란을 전후한 공산당의 만행은 한국 개신교 역사에 있어 최대의 비극을 낳게 했다. 이 같은 모진 순교의 약사 속에서 한국교회는 꺾이지 않고 더욱 단단하게 자라 거목으로 성장하게 되었다

둘째, 서양선교사들의 공헌이다

둘째로 이야기할 수 있는 것은 서양 선교사들에 의한 특별한 기여였다는 것이 일반적인 견해다. 기독교 2000년 역사 가운데 괄목할만한 교회성장을 이룩한 한국교회의 급성장 요인 가운데 빼놓을 수 없는 것이 서양 선교사들의 헌신적이고도 체계적인 선교의 공로라고 지적하는 데에 이의를 제기할 사람은 없을 것이다.

한국에 온 선교사들은 일반적으로 처음에는 한국인 자신들의 입신(入信)과 그들의 자발적인 주체적 전도활동 때문에 그들 자신이 개척전도사업이나 개인전도는 직접 하지 않은 형편이었다. 그들은 선교사들끼리만의 공동주거지역(compound)에 따로 담을 치고 함께 살면서 한국교회나 교인들과 일정 거리를 두고 살았으며, 한국인들의 선교활동을 지도하고 후원하며 행정적 협조관계를 맺는 형식으로 선교사업에 임하였다. 따라서 선교사들은 학교에서의 교육사업, 그리고 대소 단위의 사경회와 같은 기관사업에 종사하고, 또 의료사업이나 성서사업, 청년부녀사업 등에 전념하기도 하여 소위 문화선교적 차원에 까지 손을 뻗고 있었다.

그러나 한국의 여러 지방에서 순회전도에 임하던 많은 서양 선교사들은 많은 고통을 겪기도 하였다. 관할구역 도처에 세워진 미조직교회들을 돌보기 위해 수십리, 수백리의 여행을 해야만 했고, 문화적 시설이 전무한 그 당시 원시적 교통수단에 의존하며 전도여행해야 했던 그들의 헌신은 대단한 것이었다. 재래의 가옥에 설치된 단칸방의 교회에서 수많은 새신자들에게 세례를 베풀어야 했고, 또한 교리를 가르치며 신앙을 격려하는 임무를 헌신적으로 수행했던 선교사들이 많았다. 그 중에는 이토록 열악한 환경 속에서 사역을 하다가 중병에 걸려 본국으로 후송되거나 병사하는 경우도 많았다. 대표적으로 몇 사람의 경우를 살펴본다.

*데이비스(J. Henry Davis): 그는 최초의 호주 장로교회가 파송한 선교사로서 1889년 8월에 누이동생과 함께 내한하여 서울에서 어

학훈련을 받았다. 이듬해 4월 그의 누이를 서울에 남겨두고 혼자서 부산에 선교 거점을 확보하러 가다가 천연두에 걸려 사경을 헤매게 되었다. 한국선교의 큰 꿈을 품고 내한하였으나 선교를 시작해 보지도 못하고 부인과 어린 두 아들을 남겨놓고 죽어 간 베이비스의 안타까운 사연은 그의 부음을 듣고 다시 선교사들을 파송한 호주 장로교회의 후배 선교사들에 의해 경남지방에서 아름답게 꽃피게 되었다.

*헤론(John W. Heron, M.D.): 미국 테네시(Tennesse) 의과대학이 생긴 이래로 가장 우수한 성적을 올린 수재로서 그 대학의 교수회가 수련을 마친 후 교수로 남아달라고 요청했지만 이를 거절하고 한국에 선교사로 나왔다. 그는 한국 선교사로서 처음으로 임명을 받은 사람이었다. 언더우드 보다 두달 늦은 1885년 6월에 내한하여 알렌의 제중원에서 일을 시작하였다. 알렌이 선교사 직을 물러난 후 그는 제중원 원장으로서 밤낮을 가리지 않고 임무를 수행했다. 한국에 온지 5년후인 1890년 여름에 각종 전염병이 창궐하여 수많은 사람들이 생명을 잃고 있을 때 다른 선교사들은 남한산성의 선교사 휴양지에서 쉬고 있었지만 그는 폭염 속에서도 서울까지의 먼 거리를 오가면서 환자들을 치료해 주는 일을 게을리 하지 않았다. 그러다가 더위와 과로에 지쳐 결국 자신도 이질에 걸려 3주간을 앓다가 7월16일 이 땅에서 젊은 아내와 두 딸을 남겨 놓고 순직함으로써 그의 생을 선교지 한국에 바쳤다. 그 시신은 서울 한강변의 양화진에 묻혀 자기의 생을 밑거름으로 성장하고 있는 한국교회를 말없이 지켜 보고 있는 것이다.

*윌리엄 매켄지(William J. McKenzie): 1861년 7월 15일 카나다 노바 스코티아(Nova Scotia)의 케이프 브레톤 아일랜드(Cape

Breton Island)에서 출생했다. 그는 1891년 헬리팩스신학교(Theological College Halifax)를 마치고 1893년 12월 한국에 도착했다. 순전한 한국인으로 살아가기 위해 황해도 갯마을 솔내에 들어가 혼자 외롭게 살다가 열병에 걸려 1895년 6월 23일 외롭게 죽어갔다. 순교자들의 행적을 기록했던 제임스 아담스(James E. Adams)는 "그는 격리, 역경, 물질적 궁핍, 위험 따위들을 영혼의 양식으로 삼다 갔다"고 기록했다.

이상 살펴본 대로, 선교사들의 희생 봉사 순교를 통해 한국교회는 성장의 기틀을 마련하게 됐다. 이렇게 해서 서양 선교사들이 한국교회에 남긴 공헌은 지대한 것이었다. 교회 역사학자 라투렛(K.S. Latourette) 교수가 근대사에서 기독교 선교사들의 해외선교가 가장 두드러진 현상이요, 따라서 19세기를 '위대한 세기'(The Great Century)라고 한 말은 영국에만 해당되는 것이 아니요 실제적으로 한국 역사에 그대로 해당된다 하겠다. 서양 선교사들이야말로 근대사 속에서 한국의 근대화와 정신적 발전, 사회사상의 민주주의 훈련, 그리고 일본제국주의에 대한 체계적인 민족 저항의 구심적인 역할, 도덕적 생활의 새로운 가치등 실로 한국 근대사를 움직인 거대한 원동력이었다고 말할 수 있는 것이다.

셋째, 네비우스 선교방법의 채택이다

한국교회 성장에 결정적인 역할을 한 것으로 빼놓을 수 없는 것은 네비우스 선교정책이었다.

1890년 중국 지푸에서 선교활동을 하던 네비우스(John Nevius) 목사 부부를 초청, 한국 선교에 대한 세미나를 가졌다. 그는 다음과 같은 선교정책을 제시했다. 이른바 네비우스 방법이다.

1) 선교사들 각자 각자의 복음전도와 광범위한 순회전도

2) 자립선교. 즉 교인 한 사람 한 사람이 다른 사람에게 성서교사가 된다

3) 자립정치. 모든 신자들은 그들이 선택한 봉급을 받지 않는 지도자 아래에서 전도와 교회 경영을 한다

4) 자립보급. 모든 교회 건물은 그 교회의 교인들만에 의해서 장만되고, 교회가 조직되자마자 전도인의 봉급을 지원하기 시작한다

5) 체계적인 성서연구와 모든 활동에서 성서의 중심성을 관철한다. 성서의 연구는 반드시 여럿이 함께 한다

한국교회는 네비우스 선교정책을 채택했다. 그리고 다음과 같은 시행세칙을 마련했다.

1) 상류계급 보다는 근로계급을 상대로 해서 전도하는 것이 좋다

2) 부녀자에게 전도하고 크리스찬 소녀들을 교육하는 데 특별히 힘을 쓴다. 될수록 빨리 안전하고도 명석한 번역된 성서를 이들에게 주도록 해야 한다

3) 모든 종교서적은 외국말을 조금도 쓰지 않고 순 한국말로 쓰여지도록 해야 한다

4) 진취적인 교회는 자급하는 교회가 되어야 한다. 선교사의 도움을

받는 사람의 수는 될수록 빨리 줄이고 자급하여 세상에 공헌하는 그러한 사람을 늘려야 한다

이러한 선교방법은 교회의 성장 뿐만 아니라 그 신앙의 형태라든가 교역자의 지적인 수준, 교회의 조직에 대해서 무시 못할 커다란 영향을 주었다. 그리고 이것은 다른 한편으로 한국사회에 대한 변화도 동시에 가져왔다. 이로 인해 기독교가 한국의 근대화를 실질적으로 본궤도에 올려 놓을 수 있는 결정적인 역할을 하게 된 것이다..

넷째, 매체를 통한 선교의 공헌이다

한국교회성장의 특이한 현상 가운데 하나는 매체를 통해 교회가 성정했다는 사실이다.

첫째 신문을 통한 선교

한국 최초의 기독교신문은 1897년2월2일 미국감리회 선교사 아펜젤러의 명의로 발간된 '조선 크리스도인 회보' (The Christian Advocate)였다. 1897년4월1일에는 미국 북장로회 선교사 언더우드에 의해 '그리스도신문' 이 창간됐다. 1907년 12월10일에는 '예수교신보' (The Church Herald)가 발행되어 교회 연합과 지식보급, 복음선교가 주된 목적이었다. 그밖에도 1909년 7월1일에는 구세군 기관지인 '구세신문' (The War Cry)이 창간됐다. 이렇듯 한국의 기독교계 신문들은 힘차게 출발하였으나 일제침략의 위기에 선 나라의 운명처럼 일찍부

터 수난과 탄압에 직면했다.

해방이후 최초의 기독교 신문은 1946년1월17일 창간된 초교파 주간지인 '기독공보' 였다. 그러나 운영난으로 어려움을 겪다가 6.25동란으로 폐간됐다. 그후 1960년대 접어들면서 최초의 기독교 일간지가 등장했는데, '복음일보' '기독일보' 가 그것이었다. 그러나 재정난으로 곧 폐간됐다. 이처럼 파도처럼 밀려왔다가 다시 썰물처럼 종적을 감추는 과정 속에서도 기독교 신문들은 문서선교 매체로서의 역할을 넉넉하게 감당해 왔다. 현재 한국교회 속엔 일간지 '국민일보' 가 있고, 많은 주간지들이 존재하고 있어, 저마다 활발하게 선교사역을 감당하고 있다.

둘째 잡지를 통한 선교

잡지라 함은 주간, 격주간, 월간, 격월간, 계간, 연간 등 비교적 긴 간격을 가지고 편집 발행하되 일정한 제호 아래 의견전달을 목적으로 하는 출판물을 의미한다. 1889년 5월 미국 감리회 아펜젤러 선교사가 펴낸 격주간 '교회' 가 그 효시이다. 그리고 1892년 1월 미국 감리회 올링거(F.Ohlinger) 선교사가 발행한 영문 월간지 'The Korean Repository' 가 있다. 한국 기독교 잡지의 시작은 1880년대 후반부터 1900년대 초에 이르는 개화, 격동기에 개신교를 통한 서구문물의 유입과 같은 경로를 밟으면서 시작되어 복음전도는 물론 이 민족을 개화하는 데 귀중한 역할을 담당했던 선교 도구였다.

셋째 도서출판을 통한 선교

한국의 근대적인 출판은 기독교의 출판에서 본격화 되었다고 해도 지나친 말이 아니다. 고려시대 세계 최초로 금속활자가 발명되기는 했지만 1876년 일본과의 국교가 열리고 근대 문물이 도입되기 시작하면서 대량출판을 위한 인쇄체제로 일대 변혁이 시작되었다. 그 뒤 프랑스와 국교가 열리자 기독교는 1888년 성서활판소를 일본으로부터 옮겨와 교리서를 간행하기 시작하였다. 이렇게 한국의 근대출판은 개항 후 정부와 기독교를 중심으로 시작되었고 한국의 기독교는 한국출판의 근대출판을 이끌어 나갔다.

이에 앞서 영국인 선교사로 1866년 대동강에서 순교한 토마스(R.J. Thomas)선교사는 한문 성서를 휴대하고 미국 상선 제너럴셔먼호를 타고 대동강에 왔다가 조선 관군의 공격을 받고 순교했는데, 순교하면서 뿌린 한문성서들은 뒷날 여러 형태로 신앙의 열매를 맺었다. 보다 적극적이고도 체계적인 문서선교 사역은 스코틀랜드연합장로교회 소속 선교사들에 의해 추진되었다. 1872년 로스(J.Ross)와 매킨타이어(J.McIntyre)는 1877년 한국어 문법책인 'Corean Primer' 를 펴냈고 이응찬 외에 백홍준,김진기,최성균,서상륜 등 한국의 협력자들과 함께 성서의 한글번역에 주력하여 1882년 최초의 한글번역 성서인 '예수셩교누가복음젼서' 를 출판했고, 1887년에는 신약성서 전체를 번역, '예수셩교젼셔' 라는 이름으로 출판하였다.

1885년 최초의 복음선교사(Evangelical Missionary)로 내한한 언

더우드와 아펜젤러는 들어올 때 가지고 왔던 마가복음을 대본으로 하여 한국인 어학선생들의 도움을 얻어 수정역본을 준비하였고 마침내 1887년에는 '마가의 젼한 복음셔'를 일본 요코하마에서 인쇄해 출판했다. 그리고 같은 해 장로교와 감리교 선교사들로 구성된 '성서번역위원회'를 조직하여 한문성서와 영어성서 및 헬라어성서를 참고하여 1900년에 '신약젼셔'를 발행하였다. 구약성서는 신약성서의 수정이 끝난 1906년 이후에야 본격적으로 추진되어 1910년 번역이 완료, 1911년 출판되었다.

단행본의 경우 미국 감리교회가 가장 먼저 독자적인 인쇄시설과 출판사를 갖추고 문서선교 사역을 감당하였다. 중국에서 활동하던 올링거(F. Ohlinger)가 1887년 내한하여 이듬해 배재학당 안에 인쇄소를 마련하여 출판사업을 본격적으로 추진하였다. 삼문출판사(Trilingual Press)로 알려진 이 인쇄소에서는 다양한 전도용 교리서를 발간해 냈다.

1919년 3.1운동을 계기로 일제는 무단정치에서 문화정치로 통치체제를 바꾸게 된다. 이에 대항하여 한국 교회는 자기확립과 교육계몽을 위해 더욱 문서선교 운동에 박차를 가하였다.

이에 성서를 올바로 이해하기 위하여 성서주석과 다양한 신학 잡지 그리고 교육과 계몽을 위한 단행본이 출판되어 한국인을 계몽하고 교회를 바로 세우는데 공헌을 했다.

기독교는 말씀의 종교이기 때문에 선교초기부터 전도용 서적을 비롯하여 전문적인 서적에 이르기까지 다양한 책들을 저술,번역 출판하여 그리스도인들의 영적, 지적 성장을 도와 왔다. 이렇게 성장한 기독교출판은 1975년에 이르러 한국기독교출판협회가 설립되어 조직적이고 전문적으로 발전하는 계기를 마련하였다. 이렇게 한국교회와 함께 성장하고 한국교회의 성숙에 기여한 한국의 문서선교 운동은 이제 세계에 어깨를 견줄만한 질적 양적 성장을 이룩하였다. 그 결과 현재 한국의 기독교 출판은 매년 1,500여종 3백만부 이상의 책이 발행되고 있으며, 전체 4만여종의 도서가 한국교회의 신앙성숙에 기여하고 있다.

넷째 방송을 통한 선교

복음은 항상 그 시대의 가장 효과적인 전파수단을 통해 선포되어 왔다. 현대 사회에서 가장 효과적인 전파수단이라 할 수 있는 매스 미디어, 그 중에서도 선도매체(Leading Media)라 불리는 '방송' 이라는 매체를 통한 복음전파는 일찍부터 한국교회의 관심의 대상이었다. 1948년 12월 한국기독교협의회(KNCC) 산하에 음영위원회(Committee of Mass Communication)를 설치하고, 기독교방송(CBS) 설립을 추진, 1954년 12월15일 호출부호 HLKY, 주파수 700KHz, 출력5KW로 우리나라 최초의 복음선교방송이요, 최초의 민간방송으로 첫 전파를 발사하게 되었다.

한국에서의 방송선교사업에서 또 한줄기 큰 흐름으로 극동방송의 대 공산권 선교활동을 들 수 있다. 극동방송은 1956년 12월23일 복음주의연맹선교회(The Evangelical Alliance Mission: TEAM)에 의해 설립되었다. 호출부호 HMBN(1955년 HLKX로 개칭), 수파수

1230KHz, 출력20KW였다. 극동방송은 당시 선교사의 파송이 불가능한 소련 중공 몽골 그리고 북한 등의 주민에게 복음을 전파하고 나아가 민주 국민으로서의 문화적 향상과 사회복지에 기여함을 설립 목적으로 하고 있다. 극동방송은 한국어, 영어, 중국어, 러시아어 등으로 방송하고 있는데, 1977년 1월1일 실질적인 운영 책임을 FEBC(Far East Broadcasting Company)가 지게되는 것을 계기로 비약적인 발전을 거듭하고 있다. FEBC는 미국 캘리포니아에 본부를 두고 전세계에 27개의 선교방송망을 확보하고 있는 세계적인 방송선교 기구로서, 이미 한국에 아세아방송을 두고 있었으므로, FEBC의 극동방송 운영권 인수에 따라 극동방송은 아세아방송과 공동운영 관계에 들어가게 됐다. 따라서 한국교회는 기독교방송, 아세아방송, 극동방송 등 3개의 전파매체를 통해 복음을 전하게 된 것이다.

다매체시대를 맞아 한국교회는 TV영상을 통한 방송선교를 모색해 오던중 개신교가 연합한 공동출자형식으로 1995년 기독교TV(Christian Television System:CTS)를 유선방송으로 개국했다. 이어 라디오 방송인 기독교방송(CBS)도 유선TV 방송 프로그램을 송출하기 시작했으며, 그밖에 C3TV, 온누리TV 등 인터넷방송 또한 활발하게 활동을 벌이고 있는 형편이다.

다섯째 연합과 일치를 통한 선교운동의 공헌이다.

한국교회는 일찍부터 연합과 일치를 모색, 교회의 힘을 전도에 집중해서 효과적인 선교활동을 벌여왔다. 그 대표적인 연합단체로서는 한국기독교교회협의회(KNCC)와 한국기독교총연합회(CCK)가 있어 한국교회의 양대 산맥으로 국내와 크고 작은 일에 서로 협력하며 균형과 일치를 모색하고 있다.

1) 한국기독교교회협의회(Korea National Council of Churches: KNCC)

한국기독교교회협의회는 성서에 입각한 선교와 친교, 봉사, 연구, 훈련을 통해 공동의 사명을 수행하기 위한 교회들의 연합 모임이다. 동 협의회는 그리스도 안에서 한분이신 하나님을 주(主)로 고백하는 신앙운동이며, 선교를 위한 교회들 간의 유대와 연합운동을 하며, 사회에 대한 책임의식 및 정의로운 사회구현을 위한 공동증언의 사업을 전개한다. 또한 동 협의회는 세계교회와 상호 협력관계를 유지하며 세계교회협의회(WCC), 아시아기독교협의회(CCA), 세계 각국의 교회 및 단체들과 긴밀한 관계를 맺고있다.

한국 NCC의 태동은 1880년대 개신교 선교 초기까지 거슬러 올라간다. 그때 이미 선교사들과 일부 한국교회 지도자들은 교회일치운동, 선교사업의 일원화운동, 세계선교운동에 가담했기 때문이다. 한국 NCC는 에큐메니칼운동의 세계 조류와 함께 국내운동을 활발히 전개하였다. 즉 국내의 교회일치운동, 재일교포 연합전도운동, 농촌선교운동, 사회복지 및 개발운동, 출판 언론 문서를 통한 사회계몽운동, 한국교회 토착화운동 등에 큰 성과를 올렸다. 동 협의회는 공식적인 창립을 1924년 9월 24일로 기념하고 있다.

2) 한국기독교총연합회(The Christian Council of Korea)

한국기독교총연합회(한기총)는 신구약 성경으로 신앙고백을 같이 하는 한국의 기독교 교단과 연합단체 및 건전한 교단 지도자들의 협력기관으로 각 교단과 단체의 정체성을 유지하면서 지상교회의 사명을 감당하기 위하여 필요한 연합사업을 공동으로 연구 협의 시행하는 것을 목적으로 하는 연합체이다.

1989년 교계 원로목사 10여명의 제창으로 각 교단 증경총회장 및 기관단체 대표들이 함께 회동, 기도회를 갖고 창설되었다. 2005년 제16차 총회를 거치면서 61개 교단과 20개 단체가 가입한 명실공히 한국기독교의 대표적인 연합기관이다. 동 연합회는 연합과 협력을 통하여 우리 민족과 전 세계를 향한 하나님의 뜻을 이 땅에 실현하기 위해 노력해 왔다. 사회봉사의 모본을 제시한 '사랑의 쌀 나누기운동' 을 제창하여 시행하고 있으며, 기독교교도소 설립과 운영을 위한 법적 제도적 기틀을 마련하고 '재단법인 아가페' 를 태동시켰다.

남북의 평화통일과 북한선교 사역을 감당하고 있으며 '통일선교대학' 을 설립 운영하여 지도자를 양성하고 있다. 탈북자 보호와 난민지위 획득을 위해 UN청원활동을 벌였고, 국내 정착지원에도 힘을 쏟고 있다. 이단사이비 문제에 단호히 대처, 진리 수호에 앞장을 서왔고, '한국교회청소년지도자대학' 을 세워 미래의 주역인 청소년선교에 힘쓰고, '21세기 크리스찬연구원' 설립과 '문화예술선교대상' 제정 등을 통해 경건한 기독교 문화 창달과 정착에도 기여하고 있다.

동 연합회는 61개 교단과 20개 단체로 이루어진 한국교회 대표적 연합기관으로 21개 상임위원회와 19개 특별위원회 및 17개 산하 기관을 통해 한국기독교의 입장을 대변하고, 또 이끌어가고 있다. 각 위원회와 기관들이 직능별로 수행하는 귀중한 사역을 통해 남북한과 전 세계에 흩어져 있는 한국인 디아스포라 600만명을 포함한 7,600만 한민족을 책임지는 정신으로 사명을 감당하기 위해 애쓰고 있으며, 구체적으로 다음과 같은 사업을 추진하고 있다.

a) 한국교회 부흥과 갱신 및 연합과 일치
b) 국가 사회 대응 및 봉사와 환경보전
c) 평화통일과 북한복음화 사업
d) 세계선교와 국제협력
e) 평신도와 여성운동 및 청소년 지도자 육성
f) 문화 예술 스포츠 및 언론 출판사업

독일 프랑크푸르트 국제도서전에서 주제 발표하는 필사(2005년 10월) 사진 민상기

나가는 글

한국교회의 특별한 역할

한국교회는 2005년 현재 세계 160여 나라에 13,000여명의 선교사를 파송하고 있으며, 이는 전세계에서 미국 다음으로 해외 선교사를 많이 파송하고 있는 2위 국가가 되는 것이다. 한국의 5만여 교회 가운데 15% 정도가 이 같은 선교에 동참하고 있다. 한국교회는 2007년을, 1907년 평양에서 있었던 대부흥 100주년을 맞아 모든 교단과 지역교회들이 선교활성화를 통해 새롭게 도약하고, 지금으로부터 25년 후인 2030년까지 48,501명의 선교사를 파송하는, 선교사파송 세계 1등 국가가 되고자 하는 비전을 품고 이를 위해 진력하고 있다. 이것은 하나님께서 한국교회에 허락하신 특별한 축복에 보답하고자 하는 특권이며 책무인 것이다. 그동안 한민족은 얼마나 얼마나 힘든 형극의 길을 걸어왔던가.

한국은 반만년의 역사를 갖고 있다. 그러나 그 역사는 고난의 가시밭 길이었다. 강대국 중국과 러시아, 그리고 일본 사이에 놓여 있는 지정학적 위치가 바로 그 주된 원인이었다. 그러므로 한반도에서 전쟁이 끊일 날이 없었다. 그러한 연유로 해서 우리 민족은 절대자를 의지하지 않고는 한 순간도 안도하며 살아갈 수 없는 민족이었다. 따라서 고대에는 샤마니즘을 숭배했던 민족이었다. 그 잔재는 지금도 민족의 핏속에 명맥을 유지하고 있다. 그러다가 고등종교인 불교가 전래됐을 때, 온

나라가 불교를 믿게 되었다. 불교가 정치와 야합하고 순수성을 상실했을 때, 유교를 받아들였고, 다시금 온 민족이 유교를 믿는 나라가 되었다. 이처럼 절대자를 의지하는 심성이 우리 민족성으로 형성되었던 것이다.

다시 100여년전 생명의 기독교 복음이 전해졌을 때, 유교를 숭상하는 지배계층의 반발로 인해 박해와 순교로 얼룩진 과정이 없지 않았지만, 단 한 세기라는 짧은 기간 동안에 전 국민의 25%이상 예수를 믿는 기록을 수립해 놓고 있는 것이다. 불교와 유교가 각각 우리 민족 속에서 광범위하게 5백년 이상 왕성하게 신봉됐지만, 새로운 종교가 도래했을 때엔 서슴없이 새로운 종교를 선택하게 되었다는 사실, 그리고 생명력 넘치는 기독교를 접하자 짧은 시간에 전국민의 1/4이 기독교에 귀의했다는 사실이다. 물론 그 시대마다 신봉했던 종교의 뿌리가 송두리째 뽑혀진 것은 아니고, 그루터기가 남아있어 아직도 샤마니즘과 불교, 그리고 유교의 잔재가 민간 신앙 속에 면면히 흐르고 있는 것은 사실이지만 주류에서는 퇴조했고, 기독교가 강세를 이루고 있는 오늘의 현실인 것이다.

이것은 동시에 두가지 의미를 갖는다고 여겨진다. 하나는 우리 민족은 종교성이 강한 민족이라는 사실이다. 그러한 토양 위에 복음이 뿌려질 수 있게 됐고, 쉽게 뿌리를 내리고 자라서 열매를 거둘 수 있게 됐다는 견해이다. 다른 하나는 우리 민족의 심성 속엔 새로운 것을 추구하는 속성이 있다는 것이다. 바로 이러한 관점에서 한국교회가 자성(自省)과 비전(vision)을 동시에 민족 앞에 제시해야 한다. 기독교가 복음의 생명력을 상실할 때, 민족이 외면할 수 있는 가능성은 항상 열려있다는 점을 유의해야 한다는 것이다. 아울러 비젼과 꿈을 제시하지 못할 경우, 새로운 것을 추구하는 속성을 소유한 이 민족은 기대감을 저버리는 기독교에 매달려 있기를 기대하기 어려워 진다는 사실이다. 이러한 관점은 국내의 문제에 국한된 문제만이 아니요, 세계 교회 속에서도 똑같은 과제로 부각되고 있는 것이다. 그것은 하나님께서 부여해 주신 특별한 축복에 대한 응답이요 사명이기 때문이다. 또한 세계교회가 기대와 부러움으로 한국교회를 바라보고 있기 때문이기도 하다.

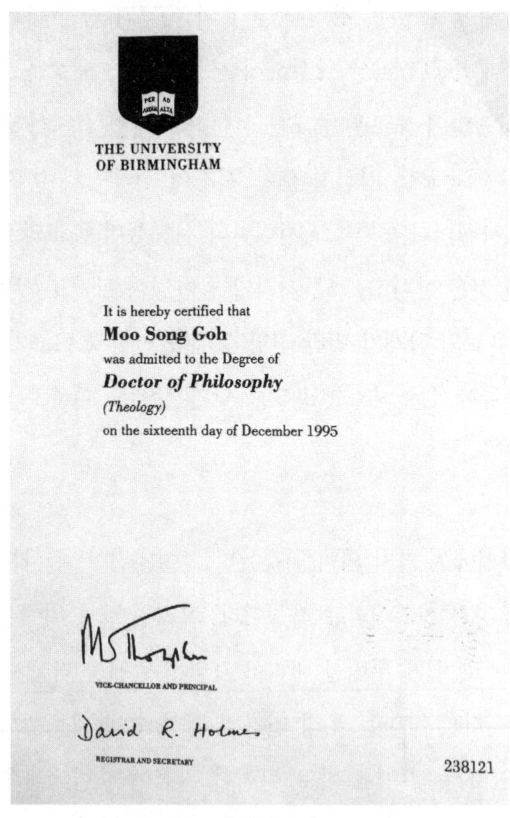

PER AD ARDUA ALTA

THE UNIVERSITY
OF BIRMINGHAM

It is hereby certified that
Moo Song Goh
was admitted to the Degree of
Doctor of Philosophy
(Theology)
on the sixteenth day of December 1995

VICE-CHANCELLOR AND PRINCIPAL

David R. Holmes
REGISTRAR AND SECRETARY

238121

고무송 선교신학박사(PhD) 학위 증서

특별히 제2차세계대전 이후 이데올로기로 인한 냉전체제 속에서 야기된 부산물로 남과 북으로 분단된 한반도의 우리 민족은 어떠하든지 남북통일의 과업을 이룩하고자 하는 열망으로 반세기 넘도록 살아오고 있는 특수한 상황 속에 있는 민족인 것이다. 여기 한국교회의 특별한 역할이 부여돼 있고, 이 통일의 과업을 위해 한국교회는 화해와 일치를 꾸준히 모색해 왔으며, 여러가지 차원에서 끊임없이 북한선교를 추진해 오고 있으며, 앞으로 계속해서 이 거룩한 사역을 넉넉하게 감당해 나가야 할 것이다.

*위의 글은 2005년 10월 독일 프랑크푸르트 도서전시회에서 행해졌던 필자의 주제발표 강연내용이다.

가족들과 함께 – 고무송목사 선교신학박사(PhD) 학위 수여식에서
(영국 버밍함대학교 · 1995년 12월 16일)

헌정(獻呈)

DEDICATION to TMI

(Thomas Mission Institute)

Windquintet No. 2

Homage to Thomas

목관오중주 제 2번

토마스 선교사를 기억하며

Shinuh Lee

이 신 우

Homage to Thomas

Robert Germain Thomas (1840-1866)

Prologue
I. Home, sweet home
II. Wandering star
III. The mission
IV. At the death of Caroline
V. Korea's first Christian Martyr
Epilogue

토마스 선교사를 기억하며

로버트 저메인 토마스 (1840-1866)

이 곡은 1866년 조선에 복음을 전하고자 들어와 선교사역을 시작하기도 전에 대동강가에서 조선군인들에 의해 아까운 삶을 마감한 조선 최초의 기독교 선교사 로버트 저메인 토마스(Robert Germain Thomas 1839-1866)의 생애에 대한 개인적 인상을 바탕으로 쓰여진곡이다. 그가 마지막 순간에 전한 성경이 뿌리가 되어 한국에 기독교가 전해진 것으로 알려져 있는데 당시 토마스 선교사의 죽음은 그의 조국 웨일즈에서조차 선교사 개인의 부주의와 착오로 인한 의미없는 죽음으로 인식되어 있었다.

아직 그리스도를 모르던 한국 땅에 들어와 어린 자녀들과 배우자, 심지어는 자신의 목숨을잃으면서 이 땅에 복음을 전했던 수많은 선교사들을 기념하기 위해 이 곡을 작곡하였다.

I. 어린 시절 웨일즈의 토마스, II. 방황하는 청년 토마스, III. 선교에 대한 그의 소명, IV.사랑하는 아내 캐롤라인의 죽음 앞에 선 토마스의 애가, V. 마지막 순교의 순간 등, 전체5악장으로 구성되어 있으며 웨일즈 민요 '즐거운 나의 집' 이 이 곡의 전체 주제로 차용되어 사용되었다. 각 악장 서두에 부제와 함께 쓰인 참고 인용문들은 '토마스와 함께 떠나는 순례여행(고무송 지음, 쿰란출판사)' 으로부터 발췌하였다.

서울목관오중주 위촉으로 작곡되어 2007년 3월 13일 예술의전당에서 초연되었고 이후한국교회인물연구소에 헌정되었다.

이 신 우

'한 알의 밀알이 떨어져 썩지 아니하면 한 알 그대로 있고 죽으면 많은 열매를 맺느니라'

-요한복음 12:24

Windquintet No. 2
Homage to Thomas

Commissioned by Seoul Windquintet
Dedicated to the Institute for Man of Korean Church

Shinuh Lee

Prologue

"내가 살던 동네를 보고 싶은 것은 어쩔 수 없는 일이지만
함께 뛰놀던 곳만큼은 정말 힘차게 달려보고 싶구나"

-로버트 저메인 토마스
동생에게 보내는 편지 중에서

ca. 112 sereno, inocente
14
mf
simile
mf
mf
simile
20
mf
mf
mf
mf

32
38
44
mf
f
mp
mf
mf
mp
mp

50
3
3
mp
mf
mf
mp
mf
54
mp
mf
mp
f
mp
mf
mp
mf
mp
f
mp
mf
mp
mf
mp
f
60
mf
f
mf
f
mf
f
mf
f
mf
f
mf
f
f
f
mf
f
mf
f

I. Home, sweet home

♩ ca. 92 con amore

80

88

95

II. Wandering star

"대학교에 들어와 선교사 사역에 대하여 계속 자문하면서
런던 선교회의 예배에 정기적으로 참석하던 중
인도자 록하트 박사의 설교로 인하여 굳게 결심을 하게 되었습니다.
함께 기도하자는 레기 씨의 말에
몇 명의 젊은이들과 함께 무릎을 꿇고 기도하였는데
그 때 저는 도우라는 소명에 대하여 응답을 받았습니다."

-로버트 저메인 토마스

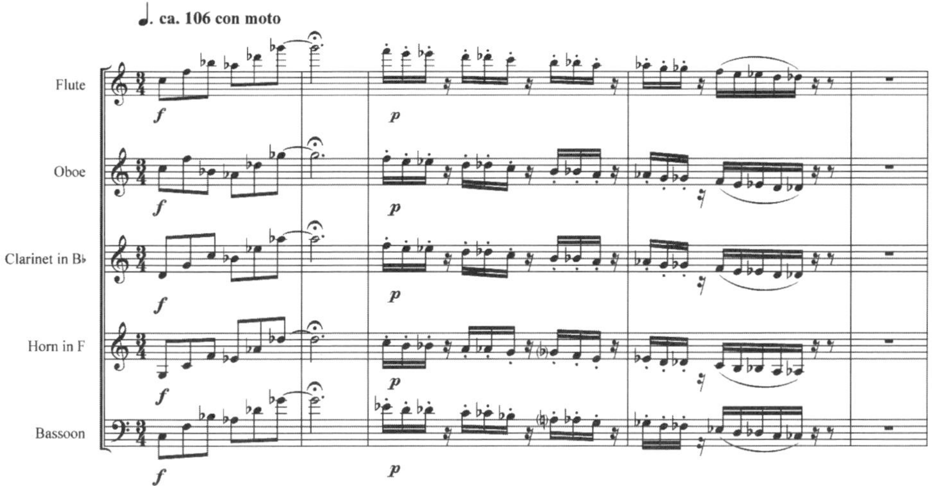

22
8va
f
f
27
(8va)
mf
32
mf
f

37
41
f
46
mf
f

51
8va
ff
mp
56
mf
61
f

66
71
76
8va
subito p

III. The mission

"선교사의 보편적인 자질로는 신중해야 하며
자기를 희생할 줄 알아야 하고
타고난 불굴의 인내가 있어야 합니다.
기독교 안에서는 예수 믿지 않는 사람들의
기독교에 대해 아직 배우지 못한 질문들을 피해야 합니다.
그리고 모든 것을 주의하고 고통들을 이겨내며
복음 전도자의 사명을 대해야 한다고 생각합니다."
"선교사의 자질은 첫째 좋은 교육, 둘째 건강한 체력,
셋째, 언어능력이라고 생각합니다.
저의 희망은 무엇보다도
자신을 부인하는 정신으로 사역하고 싶다는 것입니다.
3년 전에 헌신한 이후로 신중하고 진지하게 기도해 왔으며,
이방인의 개종으로 우상 숭배가 몰락하는 선교 사역을
진지하게 갈망하는 선교사가 될 것입니다."

-로버트 저메인 토마스

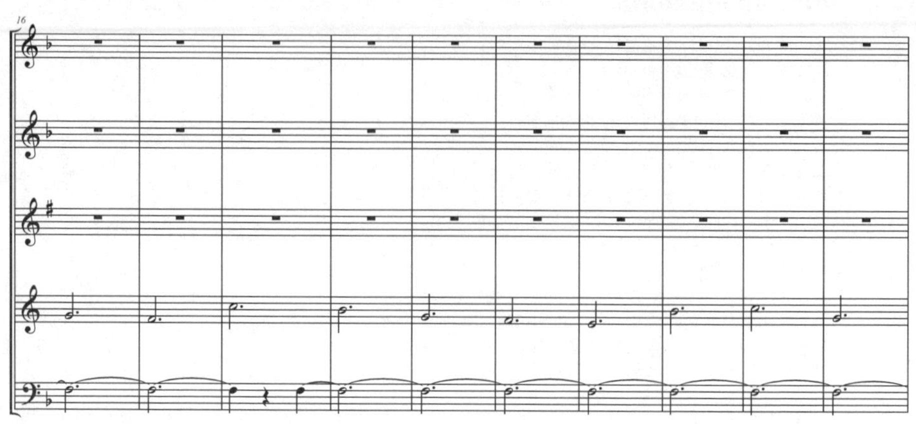
16

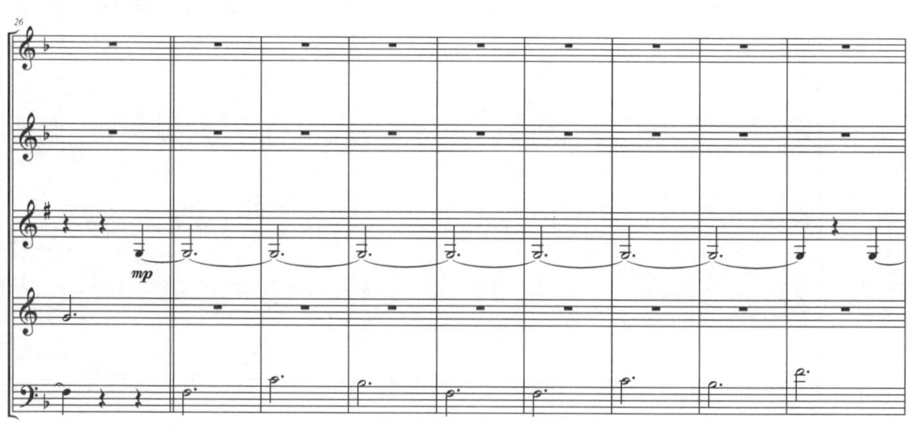
26
mp

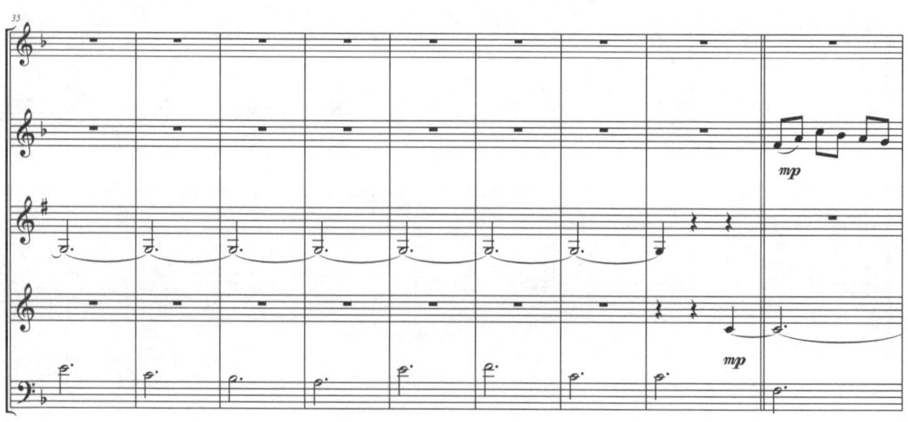
35
mp
mp

44
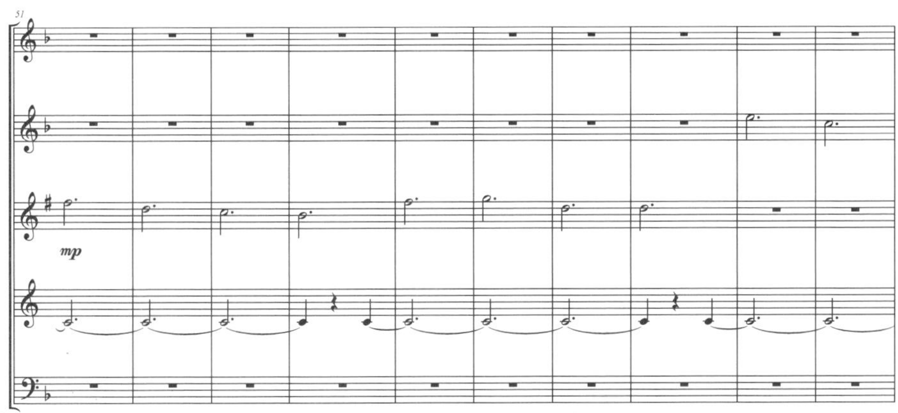
51
mp
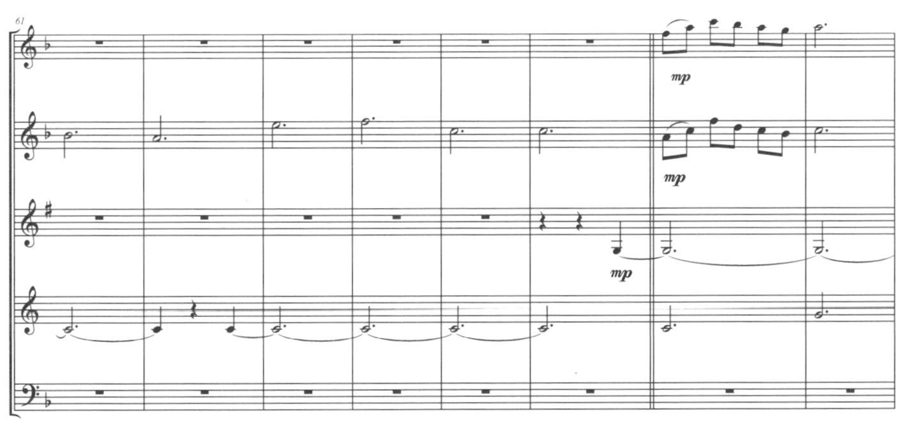
61
mp
mp
mp

69
mp
76
f
mp
mp
mf
mf
f
mp
f
mp
83
mf
mf
mf
mf
mf

91

97
ca. 82
tr
f

105
tr
f
ff

112
mf
mf
ff
mf
ff
mf
mf

119
p
p
p

125
mf
mf

132
f
f

139
f
f
f

147

153
f
f
f
f
f

161
ff
ff
ff
ff
ff
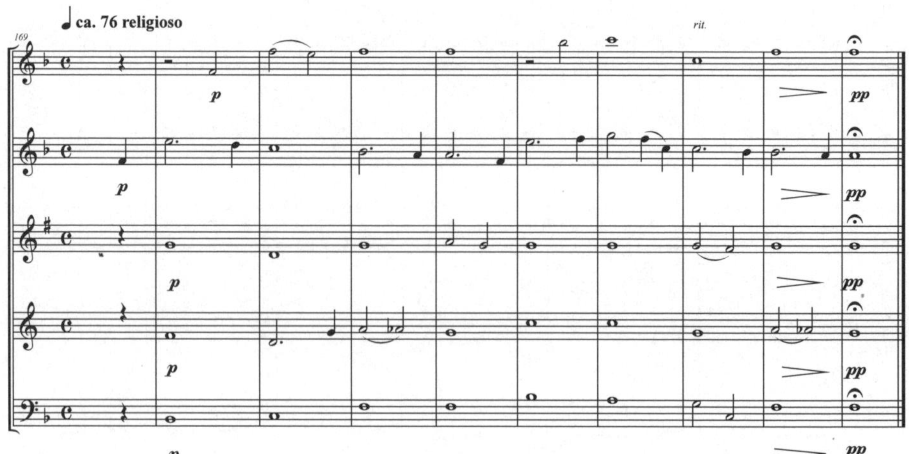
ca. 76 religioso
rit.
169
p
pp
p
pp
p
pp
p
pp
p
pp

또 나를 위하여 구할 것은
내게 말씀을 주사 나로 입을 벌려
복음의 비밀을 담대히 알리게 하옵소서

IV. At the death of Caroline

"제 아내 캐롤라인이 소천하였습니다.
그녀의 죽음에 저는 크나크게 상심하였습니다.
제 사랑하는 아내는 받을 수 있는 고난은 모두 다 받았습니다...
더 이상 편지를 쓸 수가 없습니다. 이 일을 상세하게 말하려 하니
슬픔이 다시 복받쳐 오릅니다....."

"하나님은 이미 세상을 창조하시기 전부터
죄를 범한 인간을 회복하시기 위하여 준비하셨습니다.
때가 차매 하나님의 아들이 동정녀 마리아에게 성령으로 잉태되어
완벽한 육신을 입으시고 이 땅에 오셨습니다.
그분은 인간이며 동시에 하나님이십니다.
저는 그분의 생애와 그 보상으로 영생을 얻게 하신
그분의 가치 있는 죽으심을 믿습니다."

-로버트 저메인 토마스

V. Korea's first Christian Martyr

보라 이제 나는 심령에 매임을 받아 예루살렘으로 가는데
거기서 무슨 일을 만날른지 알지 못하노라
오직 성령이 각 성에서 내게 증거하여 결박과 환난이 나를 기다린다 하시나
나의 달려갈 길과 주 예수께 받은 사명
곧 하나님의 은혜의 복음 증거하는 일을 마치려 함에는
나의 생명을 조금도 귀한 것으로 여기지 아니하노라

사도행전 20:24

ca. 120
ca. 132

ca. 140
22
6
3
3
3
3

26

ca. 152
29
f
7
f
7
f
f
f

33
36
♩ ca. 162
f
f
f
f
f
41
ff
ff
ff
ff
ff

ca. 106
46
ff
ff
ff
ff
ff
51
fff
fff
fff
fff
fff
57
ff
ff
ff
ff

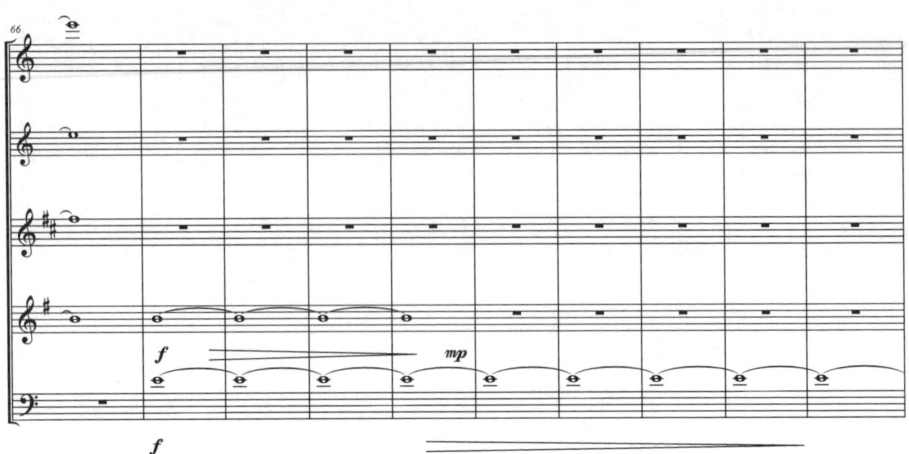
66
f
mp
f

ca. 76 religioso
76
mp
mp
mp
mp
p
mp

85
rit.
a tempo

rit.
ca. 66
93
p
p
p

Epilogue

102
p
p
p
p

110
p

116
p
p

rit.
𝅗𝅥 = 𝅗𝅥 ca. 40
123
p

𝅗𝅥 = 𝅗𝅥 ca. 40
130
p
p
p
p
p
p
p
p
p
p

그가 오사 너희를 구하시리라
소경의 눈이 밝을 것이며
귀머거리의 귀가 열릴 것이며
저는 자는 사슴같이 뛸 것이며
벙어리의 혀는 노래하리니
광야에서 물이 솟겠고
사막에서 시내가 흐를 것임이라

이사야 35:4-6